2단계

이 책을 만든 사람들

지은이
정도상 서울대 언어학 박사

도움을 주신 분들
양미자 능내초 교장 선생님
이인순 판교초 교장 선생님
황미동 범박고 교장 선생님
공영숙 부안초 교감 선생님
박동희 부천고 국어 선생님
이선영 영산초 선생님
이소영 삼성초 선생님
이태정 인디스쿨 대표

모국어가 공부의 열쇠다
2단계

초판 1쇄 발행 2015년 9월 30일
초판 5쇄 발행 2022년 1월 1일

펴낸이 정도상
펴낸곳 ㈜언어과학
디자인 김현진
삽화 오재우·손혜주
영업 장원철·김종수
홈페이지 www.mogong10.com
주소 경기도 안양시 동안구 흥안대로 427번길 38(관양동)
성지스타위드 1302호
전화 031-345-6450
팩스 031-345-6455
출판등록 2003년 12월 2일 제320-2003-69호
인쇄처 한영문화사

ISBN 978-89-92420-18-1
ISBN 978-89-92420-16-7 (세트)

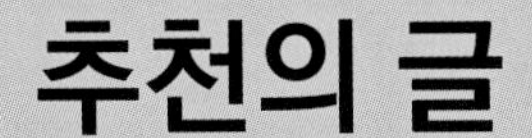

추천의 글

창의적 사고력을 키우는 책

아이가 미래에 공부를 잘해서 성공하려면 논리적, 분석적, 창의적 사고력이 있어야 한다는 말을 참 많이 들었다. 그런데 어떻게 이러한 사고력을 키워야 할지 방법을 몰랐다. 그래서 아이가 독서를 많이 할 수 있는 환경을 조성해 주었다. 그렇지만 아이가 초등학교 2년 동안 많은 책을 읽었지만 그러한 사고력을 길렀다는 생각이 들지 않는다. 이 책을 보면서 어떻게 학습을 해야 아이의 사고력을 키워야 할지 그 해답을 찾게 되었다. 대립 개념 중심의 모국어 교육! 이것이 해답이었다.

– 백문초 3학년 **이우제 엄마**

대립을 통한 모국어 능력과 사고력 향상

아이가 초등학교 저학년 때에는 다양하고 즐거운 체험을 통해 정보를 습득하는 방식이 바람직하다고 생각했고, 마침 아이가 다니던 혁신초등학교의 교육 방식이 이러한 바람을 충족시켜 주었다. 그러나 아이가 4학년에 올라가면서, 어떻게 하면 아이가 학습에 흥미를 잃게 하지 않으면서도 장기적으로는 아이의 사고력을 키워줄 수 있을 것인지에 대한 고민이 생겨났다.

많은 사람들이 국어와 독서 습관에 답이 있다고는 하지만, 그저 막연히 책을 많이 읽는 것이 아이의 분석적인 사고를 키우는 데 도움이 될 것 같지는 않았다. 한자 학습지를 시켜봐도 아이는 금방 흥미를 잃었다. 마침 이 책이 나의 그러한 고민을 해결해 주었다. 한자를 달달 외우기보다는, 꼭 알아야 하는 한자어와 그의 대립 어휘들, 각각의 단어들이 왜 그렇게 쓰이는지에 대한 자세한 설명을 보며, 국어 능력뿐 아니라 생각하는 능력도 함께 쑥쑥 자라나리라 믿어 의심치 않는다. 이 책이 우리나라 학생들의 국어 및 사고력 신장에 도움이 되길 기대하며, 또한 우리 아이가 스스로 흥미를 가지고 학습하기를 기대해 본다.

– 중앙대 부속초 4학년 **이승원 엄마**

학부모에게 드리는 편지

나는 왜 이 책을 썼을까?

대학 졸업을 앞두고 있는 아이를 키우면서 늘 아쉬웠던 것이 있었습니다. 초등학교 시절부터 모국어 어휘 교육과 글쓰기 교육을 하지 않았다는 점입니다. 사실 어린 시절에는 한자 교육이 필요도 없고, 한자를 배울 수 없다고 판단했습니다. 초등학생이 일상생활에서 사용하는 다음과 같은 낱말의 한자를 익히는 것은 거의 불가능해 보였습니다. 나 스스로도 아래의 한자를 쉽게 쓸 수 없었기 때문입니다.

교실(敎室) 학교(學校) 학용품(學用品) 동화(童話) 동물(動物) 식물(植物) 운동장(運動場)
체육(體育) 음악(音樂) 미술(美術) 수학(數學) 국어(國語) 학습(學習) 희생(犧牲)
체험(體驗) 활동(活動) 겸손(謙遜) 계속(繼續) 과목(科目) 안경(眼鏡) 숙제(宿題)

초등학교 시절에 어휘 교육을 소홀히 한 결과는 고등학교에 가서 나타나기 시작했습니다. 국어 학습은 물론 국사, 사회, 수학, 심지어 영어 학습에서도 빈약한 어휘 지식으로 어려움을 겪었습니다. 결국 고등학교 1학년 말에 영어 단어를 암기하듯이 어려운 한국어 단어를 암기하는 방법을 택했습니다.

과도기(過渡期) 무문토기(無文土器) 표의문자(表意文字) 두괄식(頭括式) 청렴(淸廉)
전성기(全盛期) 승낙(承諾) 연속함수(連續函數) 부식(腐蝕) 직관(直觀) 체득(體得)

고등학교에서의 한국어 어휘 암기로 수학능력시험까지는 큰 문제가 없었습니다. 그런데 대입논술시험에서 글쓰기라는 새로운 문제에 직면했지요. 한 달 이상의 글쓰기 훈련을 거쳐서 겨우겨우 시험을 통과하기는 했지만 어린 시절의 모국어 교육이 얼마나 중요한가를 뼈저리게 경험했던 아픈 기억입니다.

다시 아이의 모국어 교육을 한다면?

초등학생 아이에게 다시 모국어 교육을 시킨다면 〈모국어가 공부의 열쇠다〉의 방법을 택할 것입니다. 아이에게 다시 모국어 교육을 시킨다고 해도 여전히 한자를 가르칠 생각이 들지 않습니다. 복잡한 한자를 스무 번씩 쓰면서 글자를 익히라고 하지 않을 것입니다. 그렇다고 일이(一二), 상하(上下), 부모(父母), 대소(大小), 자기(自己)처럼 간단한 한자부터 가르칠 생각도 없습니다. 몇 개의 간단한 한자에 대한 지식이 한국어 어휘 능력 향상에 미치는 영향은 제한적이기 때문입니다.

〈모국어가 공부의 열쇠다〉가 지향하고 있는 방법은 한자가 아니라 한자어의 교육입니다. 아이들이 사용하는 언어에는 매우 복잡한 한자들이 포함되어 있습니다. 모국어 교육의 핵심은 한자를 쓰지 못해도 아이들이 동화(童話)와 동물(動物)이 한자에서 만들어졌고, 두 낱말의 같은 소리에 서로 다른 한자가 쓰였음을 아는 것입니다. 한자를 열 번씩 쓰는 것보다 중요한 것은 우리말의 한자어에 대한 지식입니다.

우리는 일반적으로 모국어는 학습하지 않아도 자연스럽게 모든 것을 습득하는 것으로 알고 있습니다. 그렇지만 유아들은 모국어를 습득하기 위해서 엄청난 집중을 합니다. 왜냐하면 하나하나의 단어를 익히기 위해서는 매우 복잡한 논리적 추론이 필요하기 때문이지요. 3세의 아이들이 '나무'의 의미를 정확하게 파악하는 일은 쉽지 않습니다. 주변 사람들이 소나무, 밤나무, 참나무, 작은 나무, 큰 나무라고 하는 말을 들으면서 나무가 가진 본질적인 의미를 스스로 파악해 내야 하기 때문입니다. 아이들은 이렇게 한 단어씩 소리와 의미를 연결하는 매우 복잡한 사고 과정을 거쳐서 어휘를 습득합니다. 이미 알고 있는 모국어의 단어를 대체하는 외국어 학습 과정과 근본적으로 다릅니다.

초등학생, 중학생의 모국어 학습에는 아이들이 처음으로 모국어를 습득할 때와 같은 정도의 집중력이 필요하지 않습니다. 그렇지만 한자어가 많은 한국어의 특수성으로 인해 학생들이 엄청난 고통을 겪을 수 있습니다. 그것은 바로 아이들이 앞에서 제시했던 복잡한 한자를 쓰려고 욕심을 부릴 때입니다. 우리는 한자와 한자어를 명확하게 구별해서 아이들의 모국어 교육을 해야 합니다. 초등학생, 중학생이 학습해야 할 것은 한자가 아니라 한자어입니다.

모국어가 공부의 열쇠일까?

〈모국어가 공부의 열쇠다〉는 대립 개념 중심의 학습을 지향하고 있습니다. 대립 한자를 출발점으로 우리말에서 대립하는 한자어를 학습합니다. 한자에 대한 지식을 최대한 활용하기 위함입니다. 또한 같은 소리 다른 한자를 동시에 학습함으로써 한자어를 제대로 파악할 수 있는 능력을 기를 수 있도록 책을 구성했습니다. 대립 중심의 어휘 학습은 논리적 사고력을 향상시킬 수 있는 가장 적합한 학습 방식입니다. 대립 어휘의 공통점과 차이점을 찾아내고, 소리는 같지만 의미가 다른 어휘를 구별하는 분석적 사고력도 키울 수 있습니다.

〈모국어가 공부의 열쇠다〉의 최종적인 목표는 창의적 사고력과 이에 기반한 논리적인 글쓰기 능력의 향상입니다. 이 궁극적인 목표에 도달하기 위해서는 모국어의 어휘 기반이 탄탄해야 합니다. 또한 그 어휘들이 체계적, 논리적으로 짜임새를 가지고 뇌에 저장되어 있어야 창의적인 글쓰기가 가능합니다. 글로벌 시대에도 모국어 중심의 창의적 사고를 하는 사람이 리더가 될 수 있습니다. 우리 아이들의 모국어는 한국어입니다.

고맙습니다.

2015년 3월 **정도상** 올림

나는 창의적 인재가 되기 위해
〈모국어가 공부의 열쇠다〉로 학습한다

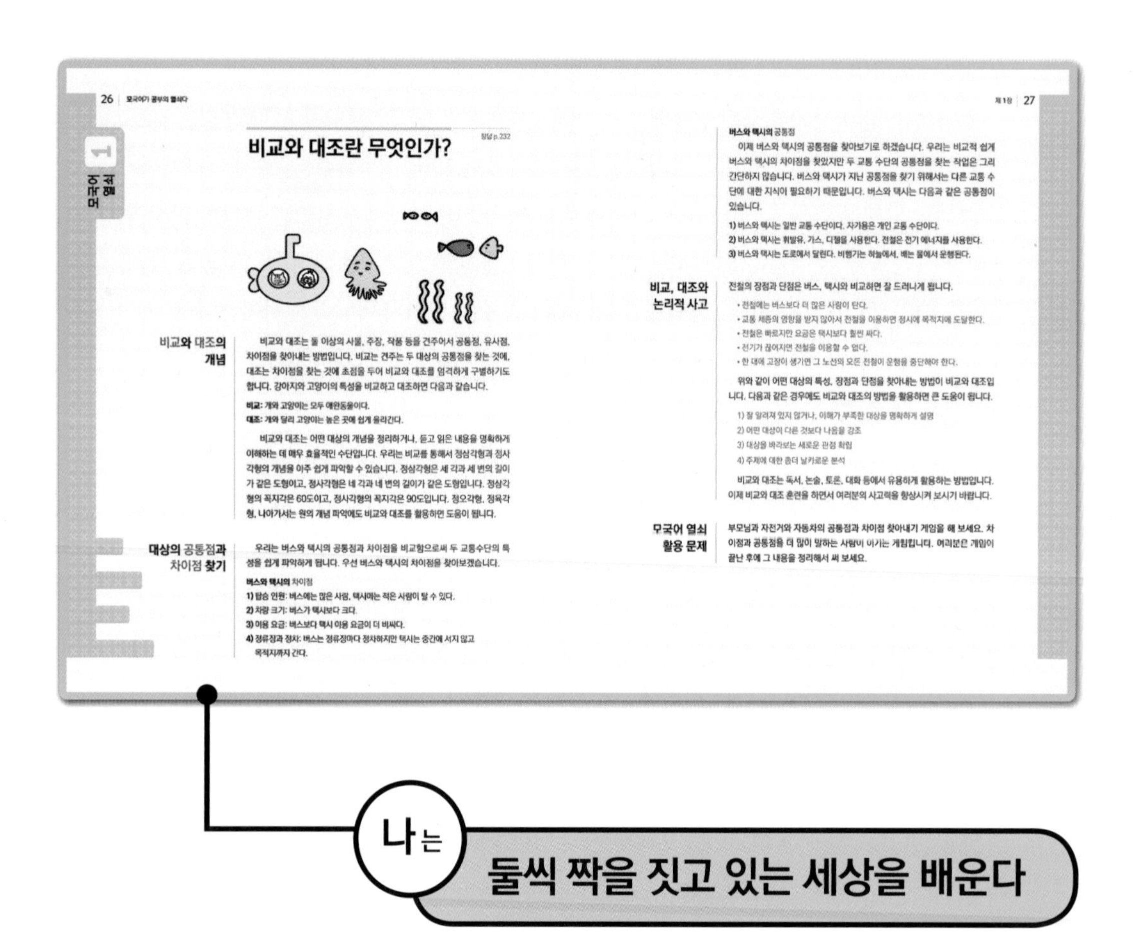

26 모국어가 공부의 열쇠다

모국어 열쇠 1

정답 p.232

비교와 대조란 무엇인가?

비교와 대조의 개념

비교와 대조는 둘 이상의 사물, 주장, 작품 등을 견주어서 공통점, 유사점, 차이점을 찾아내는 방법입니다. 비교는 견주는 두 대상의 공통점을 찾는 것에, 대조는 차이점을 찾는 것에 초점을 두어 비교와 대조를 엄격하게 구별하기도 합니다. 강아지와 고양이의 특성을 비교하고 대조하면 다음과 같습니다.

비교: 개와 고양이는 모두 애완동물이다.
대조: 개와 달리 고양이는 높은 곳에 쉽게 올라간다.

비교와 대조는 어떤 대상의 개념을 정리하거나, 듣고 읽은 내용을 명확하게 이해하는 데 매우 효율적인 수단입니다. 우리는 비교를 통해서 정삼각형과 정사각형의 개념을 아주 쉽게 파악할 수 있습니다. 정삼각형은 세 각과 세 변의 길이가 같은 도형이고, 정사각형은 네 각과 네 변의 길이가 같은 도형입니다. 정삼각형의 꼭지각은 60도이고, 정사각형의 꼭지각은 90도입니다. 정오각형, 정육각형, 나아가서는 원의 개념 파악에도 비교와 대조를 활용하면 도움이 됩니다.

대상의 공통점과 차이점 찾기

우리는 버스와 택시의 공통점과 차이점을 비교함으로써 두 교통수단의 특성을 쉽게 파악하게 됩니다. 우선 버스와 택시의 차이점을 찾아보겠습니다.

버스와 택시의 차이점
1) 탑승 인원: 버스에는 많은 사람, 택시에는 적은 사람이 탈 수 있다.
2) 차량 크기: 버스가 택시보다 크다.
3) 이용 요금: 버스보다 택시 이용 요금이 더 비싸다.
4) 정류장과 정차: 버스는 정류장마다 정차하지만 택시는 중간에 서지 않고 목적지까지 간다.

제1장 27

버스와 택시의 공통점

이제 버스와 택시의 공통점을 찾아보기로 하겠습니다. 우리는 비교적 쉽게 버스와 택시의 차이점을 찾았지만 두 교통 수단의 공통점을 찾는 작업은 그리 간단하지 않습니다. 버스와 택시가 지닌 공통점을 찾기 위해서는 다른 교통 수단에 대한 지식이 필요하기 때문입니다. 버스와 택시는 다음과 같은 공통점이 있습니다.

1) 버스와 택시는 일반 교통 수단이다. 자가용은 개인 교통 수단이다.
2) 버스와 택시는 휘발유, 가스, 디젤을 사용한다. 전철은 전기 에너지를 사용한다.
3) 버스와 택시는 도로에서 달린다. 비행기는 하늘에서, 배는 물에서 운행된다.

비교, 대조와 논리적 사고

전철의 장점과 단점은 버스, 택시와 비교하면 잘 드러나게 됩니다.

- 전철에는 버스보다 더 많은 사람이 탄다.
- 교통 체증의 영향을 받지 않아서 전철을 이용하면 정시에 목적지에 도달한다.
- 전철은 빠르지만 요금은 택시보다 훨씬 싸다.
- 전기가 끊어지면 전철을 이용할 수 없다.
- 한 대에 고장이 생기면 그 노선의 모든 전철이 운행을 중단해야 한다.

위와 같이 어떤 대상의 특성, 장점과 단점을 찾아내는 방법이 비교와 대조입니다. 다음과 같은 경우에도 비교와 대조의 방법을 활용하면 큰 도움이 됩니다.

1) 잘 알려져 있지 않거나, 이해가 부족한 대상을 명확하게 설명
2) 어떤 대상이 다른 것보다 나음을 강조
3) 대상을 바라보는 새로운 관점 확립
4) 주제에 대한 좀더 날카로운 분석

비교와 대조는 독서, 논술, 토론, 대화 등에서 유용하게 활용하는 방법입니다. 이제 비교와 대조 훈련을 하면서 여러분의 사고력을 향상시켜 보시기 바랍니다.

모국어 열쇠 활용 문제

부모님과 자전거와 자동차의 공통점과 차이점 찾아내기 게임을 해 보세요. 차이점과 공통점을 더 많이 말하는 사람이 이기는 게임입니다. 여러분은 게임이 끝난 후에 그 내용을 정리해서 써 보세요.

나는 둘씩 짝을 짓고 있는 세상을 배운다

세상에는 둘씩 짝을 짓고 있는 것이 많습니다.
공통점과 차이점을 지닌 짝을 이루는 두 쌍이 대립합니다.

둘씩 짝을 짓고 대립하는 말입니다. 언어에는 세상이 담겨 있습니다.

밤과 낮	엄마와 아빠	왼손과 오른손	위와 아래
아이와 어른	홀수와 짝수	청군과 백군	동쪽과 서쪽
아침과 저녁	남자와 여자	손가락과 발가락	새 것과 낡은 것
산과 들	암컷과 수컷	논과 밭	검정과 하양

동서(東西)와 '아이' 동(童), '글' 서(書)를 함께 배운다

18 모국어가 공부의 열쇠다

같은 소리 다른 한자 다음 한자를 익히고 예문의 빈칸을 채워 봅시다.

정답 p.232

주(走)
: 달리다

주행(走行) - 자동차나 열차가 달려감.
도주(逃走) - 도둑이나 범죄자가 달아남.
분주(奔走) - 매우 바쁘게 이리저리 뛰어다님.
질주(疾走) - 매우 빠르게 달림.
주자(走者) - 경주에서 달리는 사람.

① 범인은 철저한 포위망을 뚫고 ______ 에 성공했다.
② 요리사들은 주방에서 30인분의 요리를 준비하느라 ______ 했다.
③ 계주 선수들은 다음 ______ 에게 바통을 넘기는 훈련을 많이 한다.
④ 운전 면허를 따려면 도로 ______ 시험에 합격해야 합니다.
⑤ 소가 투우사가 흔드는 빨간 천을 향해 ______ 하였다.

종(種)
: 씨

종류(種類) - 물건을 서로 다른 종에 따라 나눈 갈래.
종목(種目) - 여러 가지 종류로 나눈 항목.
품종(品種) - 농작물, 가축 등을 분류하는 단위나 물품의 종류.
토종(土種) - 본디부터 그 땅에서 나는 종자.
종족(種族) - 같은 류의 생물.
멸종(滅種) - 어떤 종이 사라짐.

⑥ 한정식에는 굉장히 많은 음식 ______ 가 나온다.
⑦ 올림픽이 열릴 때마다 우리나라는 양궁 ______ 에서 늘 금메달을 땄다.
⑧ 인간과 다른 외계인 ______ 들이 지구를 침범하는 것을 다룬 영화가 많다.
⑨ 옥수수 ______ 을 개량하면 지구의 기근과 식량난 해소에 도움이 된다.
⑩ 신토불이(身土不二)는 '몸과 땅은 둘이 아니라 하나다'라는 의미로 ______ 농산물이 그 땅에 사는 사람에게 잘 맞음을 이르는 말이다.
⑪ 우리가 ______ 위기에 처한 동물을 보호하기 위해 보다 적극적으로 대책을 마련해야 한다.

동서를 배우고 같은 소리 다른 한자도 함께 배웁니다.

자주 쓰는 낱말이 서로 다른 한자에서 만들어졌음을 알게 됩니다.

동쪽의 **동(東)**	동해, 동양, 동부, 동양화, 동풍, 동해안
아이의 **동(童)**	아동, 동화, 동요, 동시, 동심, 목동, 아동복

서쪽의 **서(西)**	서해, 서양, 서부, 서양화, 서풍, 서해안
글의 **서(書)**	교과서, 서점, 도서관, 서예, 서적, 고서

나는 한자가 아니라 한자어를 학습한다

이제 더 이상 복잡한 한자를 20번씩 쓰지 않아도 됩니다.
대립하는 한자 두 개만 알면 10개 이상의 대립 어휘를 알게 됩니다.

두 개의 한자 상하(上下)로 10개가 넘는 대립 어휘를 알 수 있습니다.

지**상**	지**하**	**상**승	**하**강
상급	**하**급	**상**층 계급	**하**층 계급
상류	**하**류	이**상**	이**하**
상수도	**하**수도	**상**체 운동	**하**체 운동
상급생	**하**급생	**상**순	**하**순

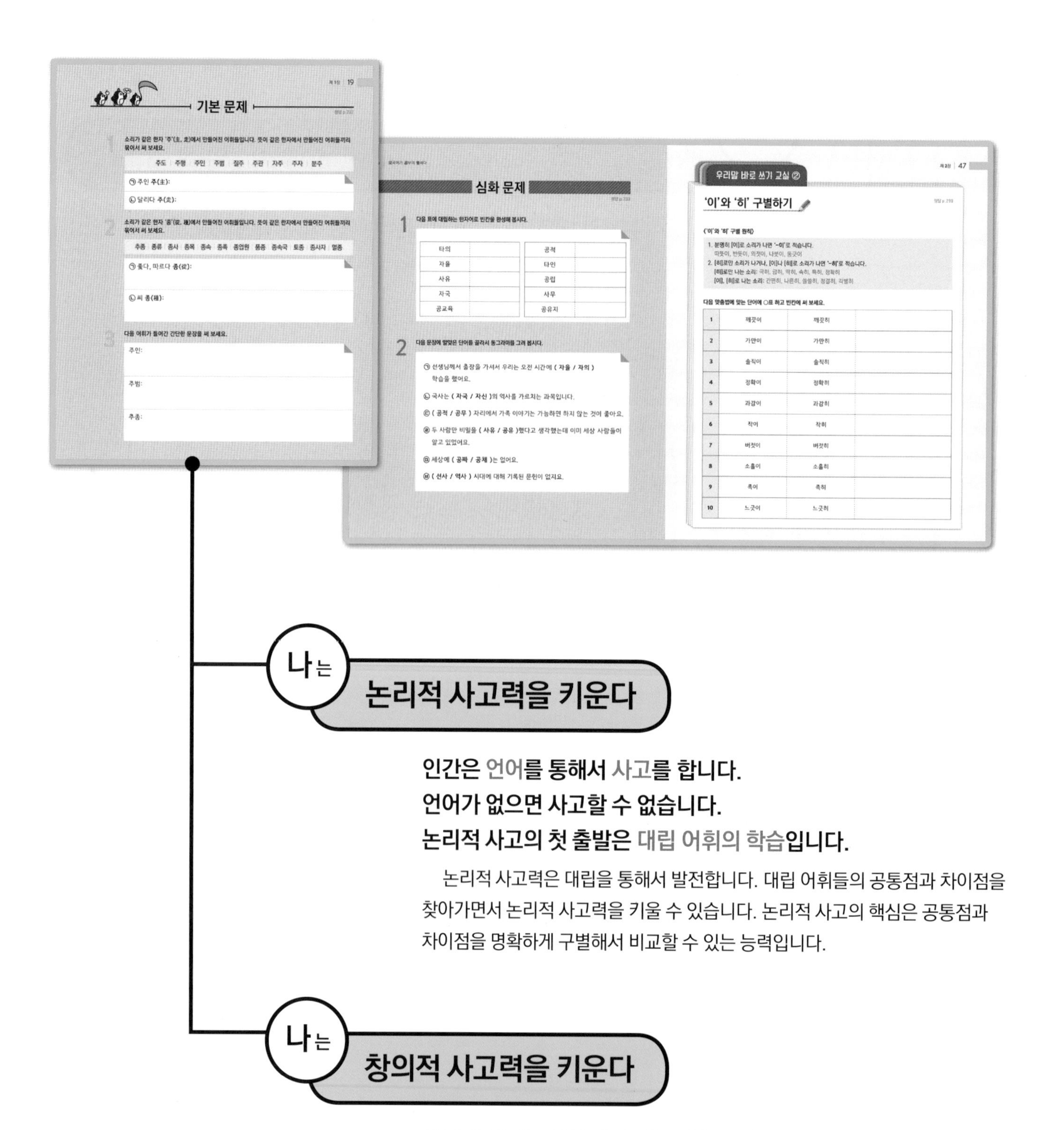

나는 논리적 사고력을 키운다

인간은 언어를 통해서 사고를 합니다.
언어가 없으면 사고할 수 없습니다.
논리적 사고의 첫 출발은 대립 어휘의 학습입니다.

논리적 사고력은 대립을 통해서 발전합니다. 대립 어휘들의 공통점과 차이점을 찾아가면서 논리적 사고력을 키울 수 있습니다. 논리적 사고의 핵심은 공통점과 차이점을 명확하게 구별해서 비교할 수 있는 능력입니다.

나는 창의적 사고력을 키운다

창의적 사고는 여러 가지 가능성을 끄집어내는 능력입니다.
창의적 사고는 다양한 가능성 중에서 최선을 찾아내는 능력입니다.

다양한 가능성을 끄집어내고 그 중에서 최선을 찾아내는 창의적 사고는 모국어의 대립 개념에서 출발합니다. 아빠와 엄마의 대립 짝을 파악할 수 있어야 아빠와 아들, 아빠와 딸, 엄마와 아들, 엄마와 딸의 대립 관계도 정확히 파악할 수 있습니다.

주인	종	종주국	종속국	자주 외교	종속 외교
사업주	종업원	주절	종속절	자주 국가	종속 국가
주범	종범	자기 주도	타인 추종	의견 주도	의견 추종
				주종 관계 (主從 關係)	

나는 통합적, 융합적 학습을 한다

수학, 사회, 과학, 지리, 예술, 체육 등의
다양한 주제의 글을 읽어야 통합적 사고를 합니다.

읽을거리의 주제에는 한국어와 한글, 모국어와 외국어, 남극과 북극, 일식과 월식, 이상과 이하, 우완 투수와 좌완 투수, 전반전과 후반전, 모성애와 부성애, 남매와 자매 등 모든 교과 내용이 포함되어 있습니다. 다양한 교과가 통합된 주제의 글을 읽으면서 학습을 하게 됩니다.

나는 질문을 잘하는 자기주도학습자로 성장한다

자기주도학습자는 질문을 잘하는 사람입니다.
지식과 정보를 단순히 암기하는 것이 아니라
질문을 잘하는 사람이 자기주도학습자로 성장합니다.

질문은 학습의 근본입니다. 읽을거리는 질문으로 시작합니다. '왜 일주일은 7일일까?', '북극곰과 펭귄은 왜 만날 수 없을까?', '국토 면적이 크다고 강대국일까?', '한국어와 한글은 무엇이 다를까?' 등 다양한 주제와 질문 형식의 읽을거리는 자기주도적 학습의 기틀을 마련해 줄 것입니다.

목 차

학습할 내용

1. 주종(主從): 주인과 종

대립 어휘 01. 주인(主人) : 종복(從僕)

대립 어휘 02. 종주국(宗主國) : 종속국(從屬國)

대립 어휘 03. 주도(主導) : 추종(追從)

같은 소리 다른 한자

주(走) "달리다"

주행(走行) / 질주(疾走) / 도주(逃走) / 주자(走字) / 분주(奔走)

종(種) "씨"

종류(種類) / 종목(種目) / 종족(種族) / 품종(品種) / 토종(土種) / 멸종(滅種)

2. 주객(主客): 주인과 손님

대립 어휘 04. 주관식(主觀式) : 객관식(客觀式)

대립 어휘 05. 주역(主役) : 관객(觀客)

대립 어휘 06. 주관(主觀) : 객관(客觀)

같은 소리 다른 한자

주(周) "주변"

주변(周邊) / 주선(周旋) / 주파수(周波數) / 원주율(圓周率)

주(晝) "낮"

주간(晝間) / 주야(晝夜) / 주경야독(晝耕夜讀)

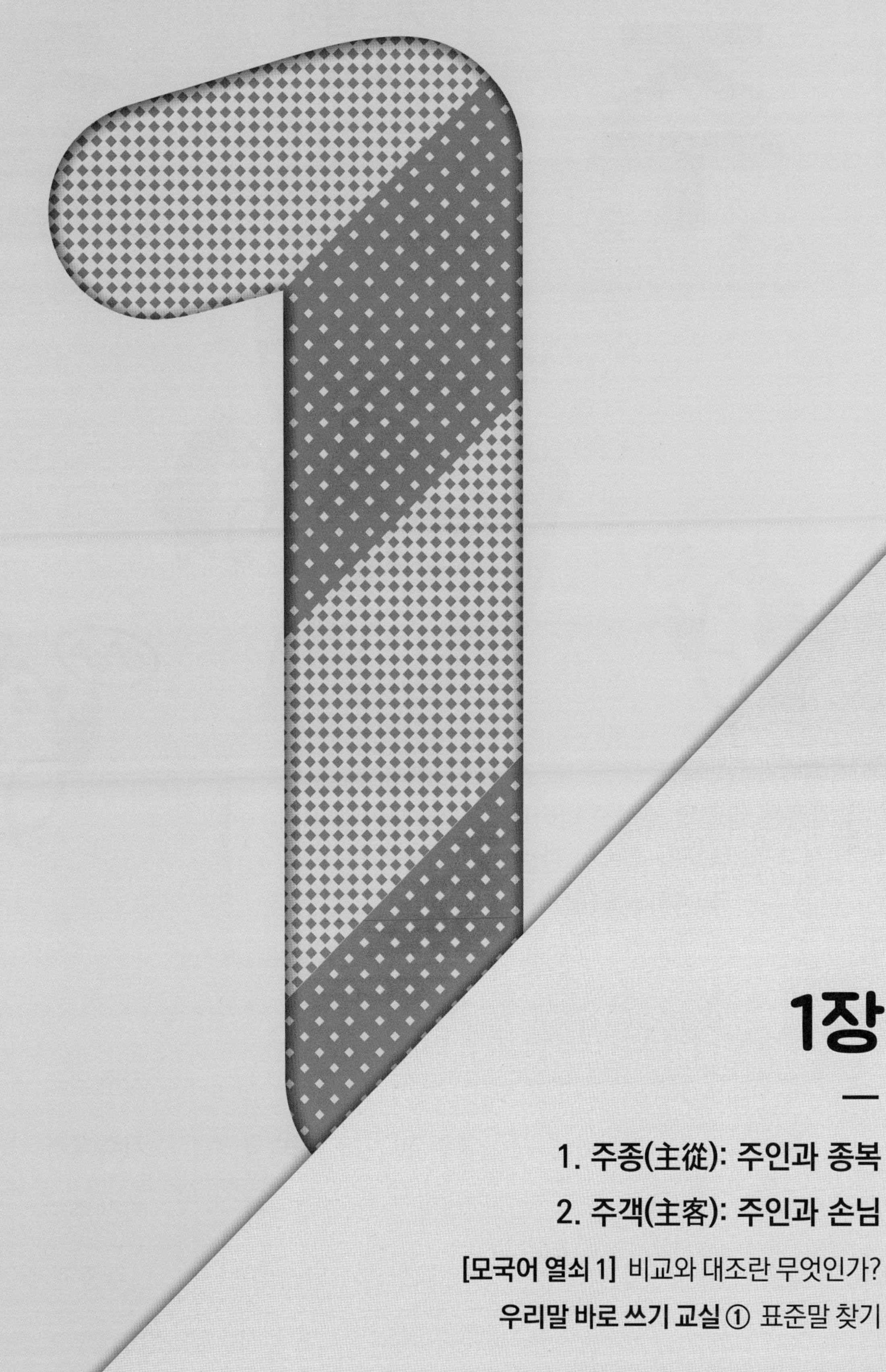

1장

1. 주종(主從): 주인과 종복

2. 주객(主客): 주인과 손님

[모국어 열쇠 1] 비교와 대조란 무엇인가?

우리말 바로 쓰기 교실 ① 표준말 찾기

1 거느림과 따름

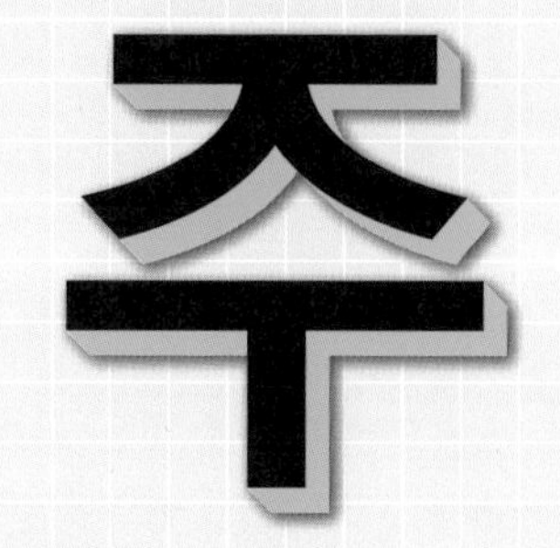

주 主 · 從 종

주종은 주인과 부하를 나타내는 대립 개념입니다.
주체와 종속이 관련된 낱말에서
주(主)와 **종(從)**이 대립합니다.

주종이 대립하는 표현

주	종
주인	종복
사업주	종업원
주범	종범

주	종
종주국	종속국
주절	종속절
자기 주도	타인 추종

주	종
자주 외교	종속 외교
자주 국가	종속 국가
의견 주도	의견 추종
주종 관계 (主從 關係)	

대립 어휘 01

난이도 ✻✻
〈사회〉

주인(主人) : 종복(從僕)

대상이나 물건을 소유한 사람이 **주**인,
남의 집에 딸려 일을 하던 사람이 **종**복

주제 쓰기

핵심 낱말

언제부터 신분제가 없어졌을까?

우리는 자유와 권리가 보장된 평등한 민주주의 사회에서 살고 있습니다. 우리 헌법에도 모든 국민은 법 앞에 평등하다고 되어 있습니다. 평등권은 성별, 종교 또는 사회적 신분에 의하여 누구든 차별을 받지 않을 권리를 뜻합니다. 우리가 당연하게 받아들이는 평등권이 생긴 것은 오래되지 않았습니다. 우리나라도 고조선 시대부터 조선 시대까지는 신분제 사회였습니다. 조선 시대에는 양반, 중인, 양인, 천민으로 사람마다 신분이 정해져 있었습니다. 인권을 빼앗기고 마치 물건처럼 국가나 다른 사람의 소유인 사람이 노예, 노비 또는 **종**입니다. 그리고 종을 소유한 사람이 **주인**입니다. 서양에서는 종을 뜻하는 말로 노예, 우리나라에서는 노비라는 말이 쓰였습니다. 노비는 천민 계급에 속하는 가장 낮은 신분이었습니다. 노비는 남자 종을 뜻하는 노(奴)와 여자 종을 의미하는 비(婢)가 합쳐진 말입니다. 노비는 김 씨, 이 씨, 박 씨와 같은 성씨를 갖지 못해서 '개똥이', '돌쇠'처럼 이름만 있었습니다. 그리고 부모 중 한 사람이 노비이면 그 자녀도 노비가 되었습니다.

귀족과 노예 또는 주인과 종으로 사람을 구별하는 신분제는 서양에도 있었던 보편적 제도였습니다. 우리나라에서 신분제는 1894년 갑오개혁으로 폐지되었습니다. 미국에서는 남북 전쟁이 한창이던 1863년에 링컨 대통령이 노예 해방을 선언하여 신분제가 폐지되었습니다. 남북 전쟁은 노예 제도 유지를 주장했던 남군과 폐지를 주장했던 북군의 싸움이었습니다. 세계 역사에 있었던 신분제는 되풀이되지 않아야 합니다. 여러분이 당연하게 누리면서 살고 있는 평등권에는 어떤 것이 있나요?

대립 어휘 표현

주인 양반 : **종놈** | 주인 노릇 : **종 노릇**

주제 쓰기

핵심 낱말

대립 어휘 02

난이도 ✻✻
〈사회〉

종주국(宗主國) : 종속국(從屬國)

다른 나라를 거느리며 중심이 되는 나라가 종**주**국, 그에 속한 나라가 **종**속국

각종 스포츠의 종주국은 어느 나라일까?

어떤 분야를 처음으로 개척하고 그 용어와 기준을 정한 나라가 종주국입니다. 각종 스포츠에는 **종주국**이 있습니다. 태권도는 대한민국, 유도는 일본, 축구와 테니스는 영국, 야구는 미국이 종주국입니다. 종주국이 이 스포츠의 경기장 크기, 경기 규칙과 용어 등을 정하고 다른 나라는 그것을 따릅니다. 외국에 있는 태권도 도장에서는 차려, 경례, 준비, 하나, 둘 등 우리말이 사용됩니다. 유도 경기에서는 유효, 효과 등 일본어가 쓰입니다. 종주국에 쓰인 종(宗)은 마루, 근원, 근본을 의미합니다. 조선 시대 태종, 세종, 효종, 숙종 등 임금 명칭에도 종이 쓰였습니다.

세계 역사에는 강한 나라가 약한 나라를 점령하여 직접 영토와 거주민을 지배하던 시대가 있었습니다. 다른 나라에 주권을 빼앗겨서 정치, 경제, 군사적으로 지배당하는 나라가 식민지이자 **종속국**입니다. 2차 세계 대전 이후 동유럽에 있는 체코, 헝가리, 루마니아, 폴란드 등이 소련의 종속국이었습니다. 소련을 중심으로 위성처럼 떠 있다는 뜻으로 소련의 위성국이라고도 했습니다. 그러나 소련이 해체되면서 소련의 위성국들은 전부 어엿한 독립 국가가 되었습니다.

여러분은 태권도처럼 어떤 분야에서 우리나라를 종주국으로 만들고 싶은가요?

대립 어휘 표현

종주국 지위 : **종속국 지위** | 종주국 권한 : **종속국 권한** | 이념 종주국 : **이념 종속국**

대립 어휘 03

난이도 ✻✻
〈사회〉

주도(主導) : 추종(追從)

자기의 상황과 처지에 맞추어 이끌어 가면 **주**도,
판단 없이 남의 뒤를 따르면 추**종**

주제 쓰기

자기주도학습은 어떻게 가능할까?

어른들은 자주 자기**주도**학습의 중요성을 강조합니다. 자기주도학습은 학습자 스스로가 학습 목표를 명확하게 설정하고 어떤 방법으로 그 목표에 도달할지 구체적인 실행 계획을 짜서 자율적으로 수행하는 학습입니다. 초등학생에게 자기주도학습은 쉽지 않습니다. 실제로 대학생이 되어서도 자기주도학습을 제대로 하는 사람이 많지 않습니다. 어린 시절부터 시험에서 높은 점수를 얻기 위해서 학교와 학원에서 배운 내용을 암기하고 반복하는 학습에 익숙해져 있기 때문입니다. 스스로 결정하지 않고 남의 말과 학습 방법을 **추종**하면서 학습을 해서 대학생이 되어도 자기주도적 학습과 활동에 서투른 것입니다.

학습, 행동, 사고에서는 자기의 특성과 능력 파악이 우선입니다. 그렇게 해야 자신에게 가장 적절한 방식을 스스로 선택할 수 있습니다. 개념과 원리를 정확하게 파악하는 습관이 자기주도학습에서 매우 중요합니다. 일상적 행동과 사고가 자기주도적이지 못한 사람이 공부할 때라고 자기주도학습을 할 수 있을까요? 자기주도학습은 생활, 행동, 습관, 사고 등이 어우러진 결정체입니다. 여러분은 미래에 자기주도학습자가 되기 위한 어떤 특성을 지니고 있나요? 그리고 반대로 그렇지 못한 버릇에는 어떤 것이 있나요? 여러분이 미래에 자기주도학습자로 성장하기 위해 스스로 바꾸고 싶은 것은 무엇인가요?

핵심 낱말

대립 어휘 표현

의견 주도 : **의견 추종** | 행동 주도자 : **행동 추종자**

같은 소리 다른 한자

다음 한자를 익히고 예문의 빈칸을 채워 봅시다.

정답 p.232

주(走) : 달리다

주행 (走行) – 자동차나 열차가 달려감.
도주 (逃走) – 도둑이나 범죄자가 달아남.
분주 (奔走) – 매우 바쁘게 이리저리 뛰어다님.
질주 (疾走) – 매우 빠르게 달림.
주자 (走者) – 경주에서 달리는 사람.

① 범인은 철저한 포위망을 뚫고 ________ 에 성공했다.

② 요리사들은 주방에서 30인분의 요리를 준비하느라 ________ 했다.

③ 계주 선수들은 다음 ________ 에게 바통을 넘기는 훈련을 많이 한다.

④ 운전 면허를 따려면 도로 ________ 시험에 합격해야 합니다.

⑤ 소가 투우사가 흔드는 빨간 천을 향해 ________ 하였다.

종(種) : 씨

종류 (種類) – 물건을 서로 다른 종에 따라 나눈 갈래.
종목 (種目) – 여러 가지 종류로 나눈 항목.
품종 (品種) – 농작물, 가축 등을 분류하는 단위나 물품의 종류.
토종 (土種) – 본디부터 그 땅에서 나는 종자.
종족 (種族) – 같은 류의 생물.
멸종 (滅種) – 어떤 종이 사라짐.

⑥ 한정식에는 굉장히 많은 음식 ________ 가 나온다.

⑦ 올림픽이 열릴 때마다 우리나라는 양궁 ________ 에서 늘 금메달을 땄다.

⑧ 인간과 다른 외계인 ________ 들이 지구를 침범하는 것을 다룬 영화가 많다.

⑨ 옥수수 ________ 을 개량하면 지구의 기근과 식량난 해소에 도움이 된다.

⑩ 신토불이(身土不二)는 '몸과 땅은 둘이 아니라 하나다'라는 의미로 ________ 농산물이 그 땅에 사는 사람에게 잘 맞음을 이르는 말이다.

⑪ 우리가 ________ 위기에 처한 동물을 보호하기 위해 보다 적극적으로 대책을 마련해야 한다.

기본 문제

정답 p.232

1

소리가 같은 한자 '주'(主, 走)에서 만들어진 어휘들입니다. 뜻이 같은 한자에서 만들어진 어휘들끼리 묶어서 써 보세요.

주도 | 주행 | 주인 | 주범 | 질주 | 주관 | 자주 | 주자 | 분주

㉠ 주인 **주(主)**:

㉡ 달리다 **주(走)**:

2

소리가 같은 한자 '종'(從, 種)에서 만들어진 어휘들입니다. 뜻이 같은 한자에서 만들어진 어휘들끼리 묶어서 써 보세요.

추종 | 종류 | 종사 | 종목 | 종속 | 종족 | 종업원 | 품종 | 종속국 | 토종 | 종사자 | 멸종

㉠ 좇다, 따르다 **종(從)**:

㉡ 씨 **종(種)**:

3

다음 어휘가 들어간 간단한 문장을 써 보세요.

주인:

주범:

추종:

2

주인과 손님

주 主 客 객

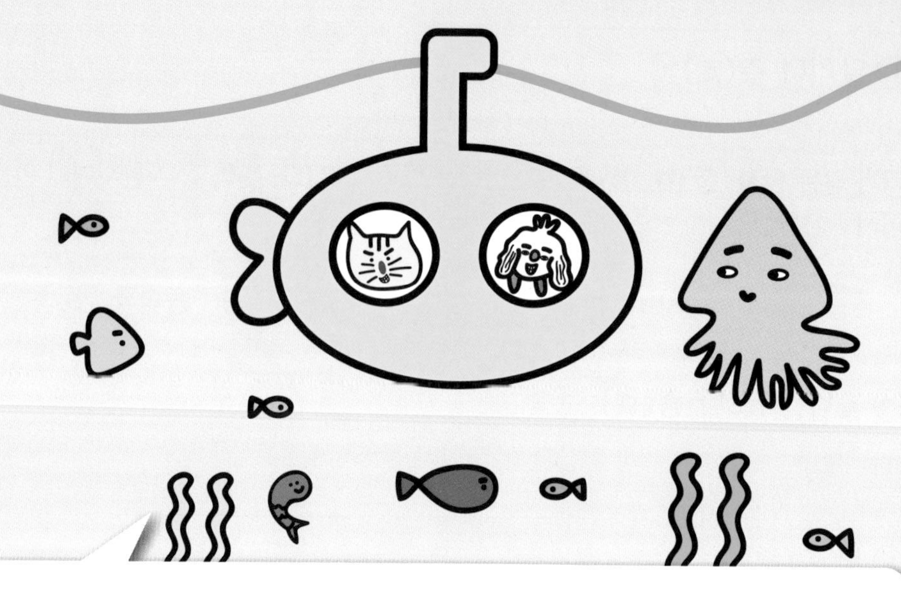

주객은 주인과 손님을 나타내는 대립 개념입니다.
견해와 관점과 관련된 낱말에서 개인적, 보편적 뜻으로
주(主)와 **객(客)**이 대립합니다.

주객이 대립하는 표현

주관	객관
주체	객체
주관식	객관식

주인	고객
주역	관객
주관적 견해	객관적 견해

주관성	객관성
주체 존대	객체 존대
주객일체 (主客一體)	
주객전도 (主客顚倒)	

대립 어휘 04

주관식(主觀式) : 객관식(客觀式)

자기의 생각을 서술하는 문제가 **주**관식,
정답을 고르는 문제가 **객**관식

난이도 ✻✻
〈국어〉

단답형은 주관식일까?

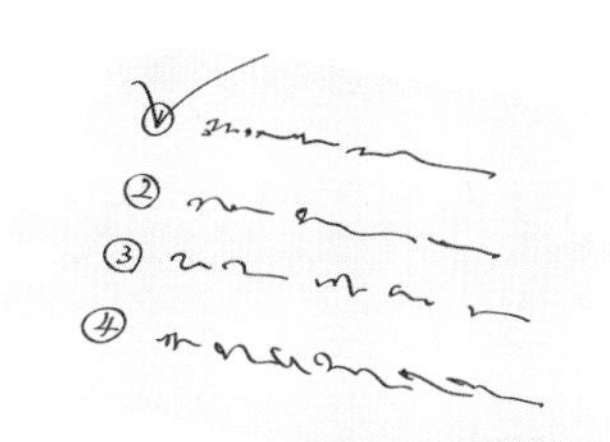

예전에 학교에서 보는 시험은 대부분 네 개나 다섯 개의 보기 중에서 정답을 고르는 **객관식**이거나 단어나 문장을 하나씩 쓰는 단답형이었습니다. 우리는 이 단답형 문제를 주관식이라고 부르기도 했습니다. 그렇지만 엄격한 의미에서 단답형은 주관식이 아닙니다. 주관은 자기 생각이나 견해이고, 객관은 다른 사람들의 생각 또는 보편적 견해입니다. 객관식 또는 단답형 문제에서는 누구나 옳다고 판단하는 정답이 있습니다. 그래서 단답형 문제는 자기 생각이나 견해가 아닌 이미 정해진 올바른 정답을 써야 맞습니다. 이런 의미에서 단답형은 주관식이 아닙니다.

최근에 학교에서 실시하고 있는 서술형 또는 논술형 문제가 진정한 의미에서 **주관식**입니다. 서술형 문제에도 정답이 있지만 답안을 쓰는 방식은 사람마다 다릅니다. 진정한 의미의 주관식 문제는 논술입니다. 논술에서는 개인이 알고 있는 객관적 지식을 동원하여 자신만의 주장을 펼칩니다. 객관식과 주관식 시험은 모두 평가 수단입니다. 서술형은 지식을 바탕으로 주어진 글을 이해하는 능력과 창의적 사고 능력을 평가하는 시험입니다. 여러분은 서술형 시험에 부담을 느끼거나 두려워하지 말고 답안을 적극적으로 써 보세요. 미래 사회를 주도할 창의적 인재는 객관식이 아니라 서술형 문제를 잘 해결하는 사람입니다. 여러분이 지금까지 보았던 시험 중에서 가장 어려웠던 서술형 문제는 무엇이었나요? 지금도 그 문제가 어렵습니까?

대립 어휘 표현

주관식 문제 : 객관식 문제 | 주관식 시험 : 객관식 시험

주제 쓰기

핵심 낱말

주제 쓰기

핵심 낱말

대립 어휘 05

난이도 ＊＊＊
〈도덕〉

주역(主役) : 관객(觀客)

주된 역할을 하는 사람이나 배우가 **주**역, 운동 경기, 공연, 영화 따위를 보거나 듣는 사람이 관**객**

우리는 주역일까 관객일까?

어떤 일에서 주도적 역할을 하는 사람 또는 연극이나 영화에서 중요한 역할을 하는 사람이 **주역**이고, 운동 경기, 공연, 영화 따위를 보거나 듣는 사람이 **관객**입니다. 한 사람이 모든 자리에서 주역이 될 수 없습니다. 가수가 공연에서 주역으로 노래를 부르지만 개그 프로그램에서는 관객이 됩니다. 연극, 영화의 유명한 배우들도 야구장과 축구장에서는 관객입니다. 이처럼 사람은 때로는 주역이 되고, 때로는 관객이 되어서 살고 있습니다. 운동장에서 주역은 선수이고 감독과 코치도 이따금 주역으로 대접받지요. 운동장에서는 대통령, 국회의원, 장관도 응원하는 사람들과 똑같은 관객일 뿐입니다.

지성과 덕성이 부족한 사람은 모든 자리에서 주역이 되려고 합니다. 참다운 주역은 그 역할이 필요할 때만 나서야 합니다. 어떤 자리에서든 관객이어야 하는 사람이 주역으로 나서면 일을 그르치게 됩니다. 자기가 나설 자리가 아니면 관객으로 머물러야 합니다. 그리고 주역이 제대로 역할을 하면 우리는 박수를 쳐주어야 합니다. 교실에서도 친구가 질문을 하거나 선생님 질문에 답변을 잘하면 그 친구는 박수를 받아야 합니다. 그것은 잘난 척이 아니라 다른 친구들에게 도움을 주는 용감한 행동입니다. 내가 관객일 때 주역에게 박수를 쳐주어야 내가 주역이 되었을 때 박수를 받을 수 있습니다. 우리는 주역과 관객 역할을 반복하면서 살아갑니다. 여러분은 지금 어떤 자리에 가면 주역인가요? 그리고 미래에 어디에서 주역이 되고 싶은가요?

대립 어휘 표현

공연 주역 : **공연 관객** | 행사 주역 : **행사 관객**

대립 어휘 06

난이도 ✻✻✻
〈사회〉

주관(主觀) : 객관(客觀)

개인 또는 자기의 생각이나 견해가 **주**관,
사실 그대로의 보편적 생각이나 견해가 **객**관

창의적 사고는 주관적일까?

개인이 가진 생각이나 견해가 **주관**이고, 사실이나 사물을 있는 그대로 보는 견해나 관점이 **객관**입니다. 주관과 객관은 '주관적 견해와 객관적 견해, 주관적 관점과 객관적 관점, 주관적 판단과 객관적 판단' 등에서 대립해서 사용됩니다. '객관적'이라는 말은 '보편적, 일반적, 상식적'이라는 말과 유사한 표현입니다. 보편성은 모든 것에 두루 미치거나 통하는 성질이며, 일반성은 하나의 모양이나 특성으로 한쪽에 치우치지 않고 전체에 두루 해당하는 성질입니다. 또한 상식은 누구나 그렇게 생각하는 지식입니다. 그래서 객관, 보편, 일반, 상식은 모두 주관과 대립하는 용어입니다.

미래에는 창의적 사고를 하는 인재가 필요합니다. 창의적 사고는 이전보다 더 나은 새로운 생각을 의미합니다. 창의적 사고의 전제 조건은 다른 사람들의 보편적, 상식적, 객관적 사실에 대한 지식과 이해입니다. 그래서 창의적 사고로 더 나은 것을 창조하기 위해서는 여러분이 지금 학교에서 배우고 있는 다양한 과목을 체계적으로 학습해야 합니다. 어떤 분야에서든 내용을 제대로 알지 못하면서 창의적 인재가 되는 것은 불가능합니다. 여러분은 창의적 인재가 되어서 어떻게 세상을 바꾸고 싶은가요?

대립 어휘 표현

주관적 견해 : **객관적 견해** | 주관적 판단 : **객관적 판단**

주제 쓰기

핵심 낱말

같은 소리 다른 한자

다음 한자를 익히고 예문의 빈칸을 채워 봅시다.

정답 p.232

주(周)
: 주변, 돌다

주변 (周邊) – 물건이나 장소의 둘레. (= 가장자리, 근처, 둘레)
주선 (周旋) – 일이 잘 되도록 이리저리 힘씀.
주파수 (周波數) – 전파나 음파가 1초 동안에 진동하는 횟수.
원주율 (圓周率) – 원둘레와 지름의 비율로 약 3.14:1이며 기호는 π(파이).

① 이모가 엄마 친구의 ________으로 멋진 남자와 선을 보았다.

② 이 근처에 적이 잠복하고 있을지 모르니 ________을 잘 살펴라.

③ 무전기 ________가 맞지 않으면 통신을 할 수 없다.

④ ________에 원의 반지름을 곱하고 두 배 한 값이 원둘레이다.

주(晝)
: 낮

주간 (晝間) – 낮 시간 동안. (대립 어휘: 야간)
주야 (晝夜) – 낮과 밤.
주경야독 (晝耕夜讀) – 낮에는 농사를 짓고 밤에는 공부함.

⑤ 그는 낮에는 직장에서 일하고, 밤에는 대학에서 공부하는 ________하는 사람이다.

⑥ 귀신들은 해가 떠 있는 ________에는 나타나지 않습니다.

⑦ 어떤 아저씨가 우리 동네 PC방에서 ________를 가리지 않고 게임만 한다.

기본 문제

정답 p.232

1 **소리가 같은 한자 '주'(主, 周, 晝)에서 만들어진 어휘들입니다. 뜻이 같은 한자에서 만들어진 어휘들끼리 묶어서 써 보세요.**

주관 | 주간 | 주체 | 주어 | 주야 | 주변 | 주인 | 주선
주관식 | 원주율 | 주객전도 | 주파수 | 주경야독

㉠ 주인 **주(主):**

㉡ 주변, 돌다 **주(周):**

㉢ 낮 **주(晝):**

2 **다음 어휘가 들어간 간단한 문장을 써 보세요.**

주위:

주객전도:

주경야독:

정답 p.232

비교와 대조란 무엇인가?

비교와 대조의 개념

비교와 대조는 둘 이상의 사물, 주장, 작품 등을 견주어서 공통점, 유사점, 차이점을 찾아내는 방법입니다. 비교는 견주는 두 대상의 공통점을 찾는 것에, 대조는 차이점을 찾는 것에 초점을 두어 비교와 대조를 엄격하게 구별하기도 합니다. 강아지와 고양이의 특성을 비교하고 대조하면 다음과 같습니다.

비교: 개와 고양이는 모두 애완동물이다.
대조: 개와 달리 고양이는 높은 곳에 쉽게 올라간다.

비교와 대조는 어떤 대상의 개념을 정리하거나, 듣고 읽은 내용을 명확하게 이해하는 데 매우 효율적인 수단입니다. 우리는 비교를 통해서 정삼각형과 정사각형의 개념을 아주 쉽게 파악할 수 있습니다. 정삼각형은 세 각과 세 변의 길이가 같은 도형이고, 정사각형은 네 각과 네 변의 길이가 같은 도형입니다. 정삼각형의 꼭지각은 60도이고, 정사각형의 꼭지각은 90도입니다. 정오각형, 정육각형, 나아가서는 원의 개념 파악에도 비교와 대조를 활용하면 도움이 됩니다.

대상의 공통점과 차이점 찾기

우리는 버스와 택시의 공통점과 차이점을 비교함으로써 두 교통수단의 특성을 쉽게 파악하게 됩니다. 우선 버스와 택시의 차이점을 찾아보겠습니다.

버스와 택시의 차이점

1) 탑승 인원: 버스에는 많은 사람, 택시에는 적은 사람이 탈 수 있다.
2) 차량 크기: 버스가 택시보다 크다.
3) 이용 요금: 버스보다 택시 이용 요금이 더 비싸다.
4) 정류장과 정차: 버스는 정류장마다 정차하지만 택시는 중간에 서지 않고 목적지까지 간다.

이제 버스와 택시의 공통점을 찾아보기로 하겠습니다. 우리는 비교적 쉽게 버스와 택시의 차이점을 찾았지만 두 교통 수단의 공통점을 찾는 작업은 그리 간단하지 않습니다. 버스와 택시가 지닌 공통점을 찾기 위해서는 다른 교통 수단에 대한 지식이 필요하기 때문입니다. 버스와 택시는 다음과 같은 공통점이 있습니다.

버스와 택시의 공통점

1) 버스와 택시는 일반 교통 수단이다. 자가용은 개인 교통 수단이다.
2) 버스와 택시는 휘발유, 가스, 디젤을 사용한다. 전철은 전기 에너지를 사용한다.
3) 버스와 택시는 도로에서 달린다. 비행기는 하늘에서, 배는 물에서 운행된다.

비교, 대조와 논리적 사고

전철의 장점과 단점은 버스, 택시와 비교하면 잘 드러나게 됩니다.

- 전철에는 버스보다 더 많은 사람이 탄다.
- 교통 체증의 영향을 받지 않아서 전철을 이용하면 정시에 목적지에 도달한다.
- 전철은 빠르지만 요금은 택시보다 훨씬 싸다.
- 전기가 끊어지면 전철을 이용할 수 없다.
- 한 대에 고장이 생기면 그 노선의 모든 전철이 운행을 중단해야 한다.

위와 같이 어떤 대상의 특성, 장점과 단점을 찾아내는 방법이 비교와 대조입니다. 다음과 같은 경우에도 비교와 대조의 방법을 활용하면 큰 도움이 됩니다.

1) 잘 알려져 있지 않거나, 이해가 부족한 대상을 명확하게 설명
2) 어떤 대상이 다른 것보다 나음을 강조
3) 대상을 바라보는 새로운 관점 확립
4) 주제에 대한 좀 더 날카로운 분석

비교와 대조는 독서, 논술, 토론, 대화 등에서 유용하게 활용하는 방법입니다. 이제 비교와 대조 훈련을 하면서 여러분의 사고력을 향상시켜 보시기 바랍니다.

모국어 열쇠 활용 문제

부모님과 자전거와 자동차의 공통점과 차이점 찾아내기 게임을 해 보세요. 차이점과 공통점을 더 많이 말하는 사람이 이기는 게임입니다. 여러분은 게임이 끝난 후에 그 내용을 정리해서 써 보세요.

심화 문제

정답 p.233

1

다음 표에 대립하는 한자어로 빈칸을 완성해 봅시다.

종복	
사업주	
종속국	
추종	
주도자	

주체	
객관식	
주어	
주체적	
관객	

2

다음 문장에 알맞은 단어를 골라서 동그라미를 그려 봅시다.

㉠ 자신의 **(객관 / 주관)**이 뚜렷한 사람도 남의 의견을 존중해야지요.

㉡ 이번 독서 대회는 우리 동아리에서 **(주관 / 주간)**했어요.

㉢ 하계 올림픽 경기에는 어떤 **(종목 / 종족)**들이 있나요?

㉣ **(주야 / 주간)** 근무자들은 아침에 출근해서 일을 해요.

㉤ 미래 사회에서 경제 **(주체 / 민주)**는 지금 성장하는 청소년이지요.

㉥ 조선은 명나라와 청나라의 **(추종 / 종속)**국이 아니었어요.

우리말 바로 쓰기 교실 ①

정답 p.233

표준말 찾기

다음 단어 중 표준어를 골라 ○표 하고 빈칸에 써 보세요.

1	설거지	설겆이	
2	강남콩	강낭콩	
3	김치찌개 /된장찌개	김치찌게 /된장찌게	
4	신출나기	신출내기	
5	총각무	총각무우	
6	아지랑이	아지랭이	
7	사글세	삭월세	
8	돌	돐	
9	수캐	숫개	
10	깡총깡총	깡충깡충	
11	막동이	막둥이	
12	오뚜기	오뚝이	
13	남비	냄비	
14	멋장이	멋쟁이	
15	웃니	윗니	
16	꼭두각시	꼭둑각시	
17	천장(天障)	천정	
18	애달프다	애닯다	
19	주책없다	주책이다	
20	며칠	몇일	

학습할 내용

3. 자타(自他): 나와 남

대립 어휘 07. 자국(自國) : 타국(他國)
대립 어휘 08. 자율(自律) : 타율(他律)
대립 어휘 09. 자동사(自動詞) : 타동사(他動詞)

같은 소리 다른 한자

자(字) "글자"
문자(文字) / 점자(點字) / 흑자(黑字) / 적자(赤字) / 표의 문자(表意文字) / 표음 문자(表音文字)

타(打) "치다"
타격(打擊) / 타도(打倒) / 타령(打令) / 대타(代打) / 오디(誤打) / 치명타(致命打)

4. 공사(公私): 집단과 개인

대립 어휘 10. 공적(公的) : 사적(私的)
대립 어휘 11. 공교육(公教育) : 사교육(私教育)
대립 어휘 12. 공유(公有) : 사유(私有)

같은 소리 다른 한자

공(空) "비다"
공짜(空-) / 공기(空氣) / 진공(眞空) / 항공(航空) / 공간(空間) / 공상(空想)

사(史) "역사"
역사(歷史) / 국사(國史) / 선사 시대(先史時代) / 사학(史學)

2장

3. 자타(自他): 나와 남

4. 공사(公私): 집단과 개인

[모국어 열쇠 2] 비교와 대조를 통한 개념과 원리 중심 학습

우리말 바로 쓰기 교실 ② '-이'와 '-히' 구별하기

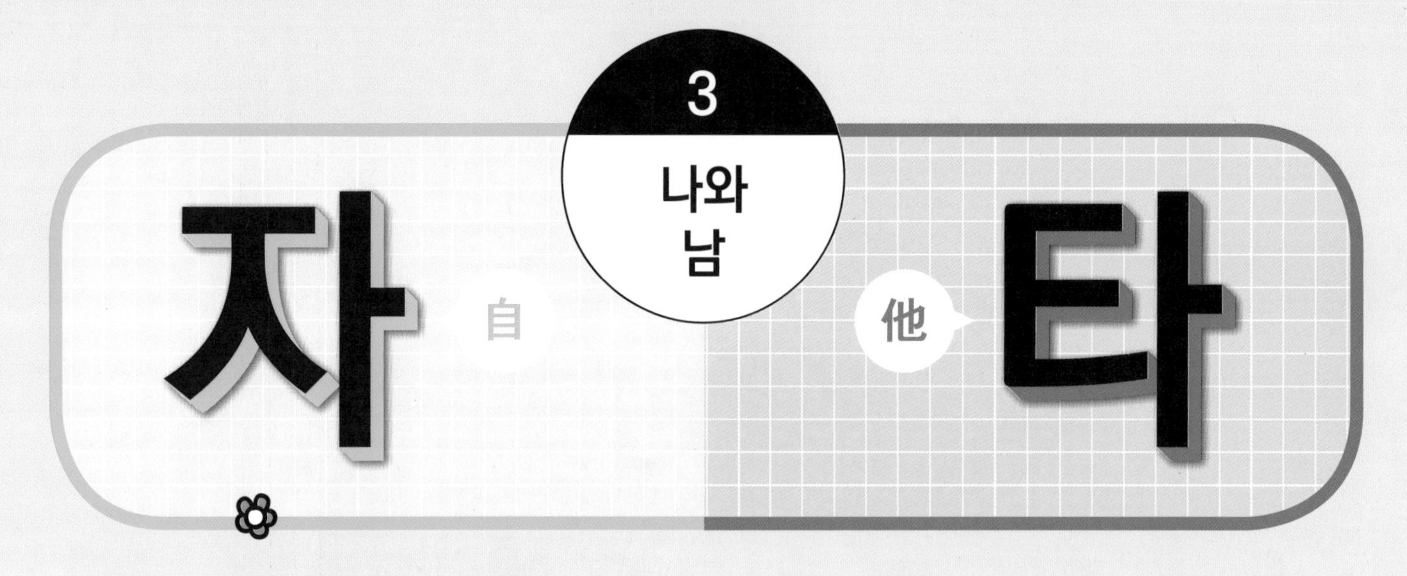

자타는 나와 남을 나타내는 대립 개념입니다.
소속, 의지, 동기, 힘과 관련된 낱말에서
자(自)와 **타(他)**가 대립합니다.

자타가 대립하는 표현

자의	타의
자율적	타율적
자동사	타동사

자국	타국
자신	타인
자살	타살

자력	타력
자사 제품	타사 제품
자의 반	타의 반
자타가 공인 (自他가 共認)	

대립 어휘 07

난이도 ✻✻✻
〈통합〉

자국(自國) : 타국(他國)

자국은 자기 나라, **타**국은 다른 나라

홍길동

문화와 종교마다 금기가 다르다

자국은 자기가 속한 국가이고, **타국**은 자국이 아닌 다른 국가, 즉 남의 나라입니다. 모든 국가는 고유한 자국의 문화, 역사, 전통을 가지고 있습니다. 각 나라의 문화와 전통은 그 자체로 가치를 인정받고 존중되어야 합니다. 우리는 **자국**의 고유 문화와 전통뿐만 아니라 **타국**의 독특한 문화와 전통도 중시할 줄 알아야 합니다. 타국의 문화와 전통이 자국 기준으로 보면 기이하거나 때로는 야만적으로 보일 수 있습니다. 그렇지만 각 나라의 문화는 그것을 발전시키고 유지해 온 사람들의 고유한 삶의 방식입니다. 핀란드 사람들은 예전에 남녀가 함께 사우나를 했고 아마존 지역의 원주민들은 옷을 입지 않고 생활합니다. 우리 문화 기준으로 이상하게 여기거나 비난할 필요가 없습니다. 문화는 서로 다를 뿐이지 옳고 그름의 판단 대상이 아니기 때문입니다.

우리나라에서는 귀엽다는 의미로 아이들의 머리를 쓰다듬지만 태국에서는 아이들의 머리를 만지지 않습니다. 그들은 머리를 만지면 영혼이 빠져나간다고 믿고 있기 때문입니다. 중국에서는 다른 사람에게 시계를 선물하지 않습니다. 중국어에서 '시계를 선물한다'는 뜻을 가진 '쑹중(送钟)'이 '장례를 치른다(送终)'와 발음이 같기 때문입니다. 국가마다 마음에 꺼려서 피하는 금기가 있듯이 종교에도 금기가 있습니다. 힌두교를 믿는 사람들은 소고기를 먹지 않고, 유대인과 이슬람교도는 돼지고기를 먹지 않습니다. 우리나라에서는 사람 이름을 빨간색으로 쓰지 않습니다. 왜 빨간색으로 이름을 쓰지 않을까요? 그 이유에 대해서는 여러 가지 주장이 있습니다. 엄마, 아빠와 그 이유를 토론해 보세요. 그리고 우리가 금기로 여기는 다른 풍습이 있는지 알아보세요.

대립 어휘 표현

자국 기업 : **타국 기업** | 자국 선수 : **타국 선수** | 자국 선박 : **타국 선박**

주제 쓰기

핵심 낱말

주제 쓰기

대립 어휘 08

자율(自律) : 타율(他律)

난이도 ✻
〈통합〉

자기 의지에 따라 움직임이 **자**율,
남이 정한 원칙이나 규율에 따름이 **타**율

지금 여러분의 꿈은 무엇인가요?

꿈이 있는 사람은 그 목표를 이루기 위해서 노력합니다. 그래서 꿈은 삶의 원동력이고 동시에 사람들에게 자신감을 줍니다. 꿈을 가진 사람이 행복합니다. 그리고 노력하는 사람의 꿈은 언젠가는 이루어집니다. 꿈은 스스로 만들어 가는 희망, 목표, 이상입니다. 꿈이 있는 사람은 자기 의지에 따라 **자율**적 삶을 살아갑니다. 꿈을 가진 사람은 자신의 꿈을 실현하기 위해서 고난과 역경을 이겨 냅니다. 반면에 꿈이 없는 사람은 남들이 정한 틀에 자신을 맡기는 **타율**적 삶을 살게 됩니다.

꿈과 희망은 언제든지 변할 수 있습니다. 초등학교에서 가졌던 꿈이 고등학교에 가면 바뀌는 경우도 있습니다. 초등학생은 대통령, 장군, 가수, 영화 배우, 농구 선수 등이 되겠다는 꿈을 가집니다. 그렇지만 성장하면서 그 꿈이 달라지기도 합니다. 비록 꿈과 희망이 바뀐다고 해도 늘 꿈을 가지고 사는 사람이 꿈이 없는 사람보다 낫습니다. 자신을 설레게 하는 꿈은 모두 아름답기 때문입니다. 여러분이 진정한 꿈을 찾기 위해서는 자신을 잘 알아야 합니다. 자신을 제대로 알지 못하고 막연하게 어떤 목표를 정하는 것은 꿈이 아닙니다. 꿈은 남이 아니라 자신이 찾아야 합니다. 지금 여러분을 설레게 하는 꿈은 무엇인가요? 그 꿈이 고등학교에 들어가도 변하지 않을까요?

핵심 낱말

대립 어휘 표현

자율성 : 타율성 | 자율적 : 타율적 | 자율적으로 실천한 일 : 타율에 의해 억지로 한 일

대립 어휘 09

자동사(自動詞) : 타동사(他動詞)

난이도 ✻✻✻
〈국어〉

목적어가 없으면 **자**동사,
목적어가 있으면 **타**동사

주제 쓰기

자동사와 타동사는 무엇이 다를까?

문장은 주어와 서술어로 구성됩니다. 주어는 행위를 하는 사람이거나 동사의 주체가 되는 말이고 서술어는 주어의 동작이나 상태 등을 기술하는 말입니다. '바람이 분다.','철수가 사과를 먹었다.', '오늘 날씨가 춥다.'와 같은 문장에서, 주어는 '철수가', '바람이', '날씨가'이고, 서술어는 '분다', '먹었다', '춥다'입니다. 우리말에서 동사와 형용사가 서술어로 쓰입니다. 위 문장에서 '분다', '먹었다'는 동사이고, '춥다'는 형용사입니다.

동사는 자동사와 타동사로 나뉩니다. **자동사**는 목적어가 필요하지 않은 동사입니다. '바람이 분다.'에서 자동사 '분다'는 주어는 있지만 목적어가 없습니다. 반면에 '철수가 사과를 먹었다.'에서 타동사 '먹었다'의 주어는 '철수가', 목적어는 '사과를'입니다. 목적어가 없으면 '철수가 먹었다.'가 되어 무엇을 먹었는지 알 수 없는 잘못된 문장이 됩니다. '걷는다, 온다, 난다' 등이 '분다'와 같은 자동사이고, '입었다, 잡았다, 마셨다' 등이 '먹었다'와 같은 타동사입니다. 우리말에서 서술어로 쓰이는 '추웠다, 더웠다, 즐거웠다' 등 형용사도 자동사처럼 목적어를 쓰지 않습니다. 우리말의 형용사 '춥다, 아름답다'와 영어의 형용사 'cold, beautiful'은 어떤 차이가 있을까요?

핵심 낱말

대립 어휘 표현

자동사 특성 : 타동사 특성 | 자동사 정의 : 타동사 정의 | 완전 자동사 : 완전 타동사

같은 소리 다른 한자

다음 한자를 익히고 예문의 빈칸을 채워 봅시다.

정답 p.233

자(字) : 글자

문자 (文字) – 말소리를 적는 한글, 알파벳과 같은 글자.
점자 (點字) – 시각 장애인들이 도드라진 점을 이용해서 글을 읽도록 고안한 문자.
표의 문자 (表意文字) – 뜻을 표시하는 문자. (예. 한자)
표음 문자 (表音文字) – 말소리를 나타내는 문자. (예. 한글과 알파벳)
흑자 (黑字) – 번 돈이 쓴 돈보다 많아 이익이 생기는 일.
적자 (赤字) – 쓴 돈이 번 돈보다 많아 결손이 생기는 일.

*참고
흑자와 적자는 기업이 회계 장부에 흑자는 검은 글씨, 적자는 빨간 글씨로 표시하는 데서 유래한 말입니다.

① 한자는 ________ 로 글자마다 하나의 뜻을 나타낸다.

② 삼성전자는 최근 몇 년간 연이은 ________ 를 내고 있는 기업이다.

③ 몇 년 사이에 ________ 에 시달리던 기업들이 줄줄이 파산했다.

④ ________ 는 한 글자가 하나의 소리를 나타낸다.

⑤ 우리는 '한글'을 사용하지만 세계에는 ________ 가 없는 언어들도 많다.

⑥ 시각 장애인들은 ________ 도서로 책을 읽는다.

타(打) : 치다

타격 (打擊) – 손발이나 도구로 때려서 치는 행동.
타령 (打令) – 말이나 소리를 계속 되풀이하는 일.
오타 (誤打) – 틀리게 치거나 입력한 글자.
타도 (打倒) – 어떤 대상이나 세력을 쳐서 거꾸러뜨림.
대타 (代打) – 어떤 일을 대신하여 하는 사람.
치명타 (致命打) – 생명을 위협할 정도의 타격.

⑦ 태권도 경기에서 상대방을 발로 ________ 하면 높은 점수를 얻는다.

⑧ 세계 역사에서 독재 정권은 언제나 ________ 대상이었다.

⑨ 이라크는 미군 비행기의 폭격으로 ________ 를 입고 전쟁에서 패했다.

⑩ 스마트폰에서 빠른 속도로 문자를 입력할 때 ________ 가 자주 발생한다.

⑪ 9회 말에 ________ 로 나간 선수가 홈런을 쳐서 극적인 역전승을 거두었다.

⑫ 요즘 동생은 로봇 장난감 ________ 을 한다.

기본 문제

정답 p.233

1 소리가 같은 한자 '자'(自, 字)에서 만들어진 어휘들입니다. 뜻이 같은 한자에서 만들어진 어휘들끼리 묶어서 써 보세요.

문자 | 자의 | 점자 | 자국 | 흑자 | 자동사 | 적자 | 자기 | 표의 문자 | 자율적 | 표음 문자

㉠ 나 **자(自):**

㉡ 글자 **자(字):**

2 소리가 같은 한자 '타'(他, 打)에서 만들어진 어휘들입니다. 뜻이 같은 한자에서 만들어진 어휘들끼리 묶어서 써 보세요.

타의 | 타격 | 타국 | 타도 | 타동사 | 타령 | 타인 | 대타 | 타율적 | 오타 | 치명타

㉠ 남 **타(他):**

㉡ 치다 **타(打):**

3 다음 어휘가 들어간 간단한 문장을 써 보세요.

자기:

타인:

치명타:

공사(公私)는 공공의 일과 개인의 일을 나타내는 대립 개념입니다.
기관, 기업, 교육, 문서, 재산과 관련된 낱말에서
공(公)과 **사(私)**가 대립합니다.

공사가 대립하는 표현

공	사
공적	**사**적
공기업	**사**기업
공교육	**사**교육

공	사
공유 재산	**사**유 재산
공공 기관	**사**설 기관
공유지	**사**유지

공	사
공무	**사**무
공립 학교	**사**립 학교
공문서	**사**문서
공석에서	**사**석에서

대립 어휘 10

난이도 ✻✻
〈사회〉

공적(公的) : 사적(私的)

국가나 사회에 관계되는 것이 **공**적,
개인에 관계되는 것이 **사**적

주제 쓰기

핵심 낱말

공부만 잘하면 모든 역할을 다하는 것일까?

인간은 사회적 동물이라서 나이와 직업에 관계없이 공동체 생활을 합니다. 집에서는 가족 공동체, 학교에서는 학교 공동체에서 다른 사람들과 함께 생활합니다. 공동체 생활에서는 **사적** 자유와 권리도 있지만, 반드시 지켜야 할 **공적** 책임과 의무도 있습니다. 개인은 자유롭게 생각하고, 학습하고, 행동하고, 말할 권리가 있습니다. 그러나 학교 공동체와 사회 공동체에는 공동체의 질서를 유지하고 구성원들의 안녕을 지키기 위한 규칙이 있습니다. 등교 시간, 사거리 신호등 지키기, 우측 통행, 화장실에서 줄서기 등이 개인이 지켜야 할 규칙입니다.

학교나 사회와 달리 가족 구성원은 규칙을 정하지 않습니다. 사람들이 가정을 사적 공간으로 생각하기 때문입니다. 그렇지만 가정도 가족 구성원들이 모여서 함께 살고 있는 공적 공간입니다. 가족 구성원은 이 공간에서 각자가 맡은 역할을 수행합니다. 엄마와 아빠는 자녀 교육과 경제 활동을 합니다. 여러분도 가정에서 일정한 역할을 맡아서 가족의 삶에 동참해야 합니다. 청소, 쓰레기 버리기, 밥 먹을 때 숟가락 놓기, 자기 옷 정리 등이 여러분이 가족 공동체에서 해야 하는 일입니다. 여러분은 가족 공동체에서 어떤 역할을 하면서 살고 있나요? 공부만 잘하면 모든 역할을 다한 것일까요?

공적 책임 : 사적 책임 | 공적 의무 : 사적 의무 | 공적 업무 : 사적 업무

주제 쓰기

핵심 낱말

대립 어휘 11

난이도 ✻✻
〈통합〉

공교육(公敎育) : 사교육(私敎育)

학교와 공공 기관이 하는 교육이 **공**교육,
회사나 개인이 하는 교육이 **사**교육

공교육과 사교육은 어떤 역할을 해야 할까?

우리 사회에서 공교육과 사교육은 서로 대립하는 개념입니다. **공교육**은 학교에서, **사교육**은 학교 이외 장소에서 이루어지는 교육입니다. 교육부와 교육청에서는 사교육을 막거나, 줄이기 위해서 다양한 정책을 추진합니다. 그리고 선생님들이 더 좋은 학교를 만들기 위해서 끊임없이 노력합니다. 선생님들이 학교에서 모든 것을 다 가르칠 수 없습니다. 공교육과 사교육에서 배울 것은 다릅니다. 태권도, 축구, 야구, 검도, 발레, 바둑 등 운동이나 마술, 악기, 노래, 그림 등 예술은 학원에서 배울 수 있습니다.

우리는 공교육이 항상 옳고 사교육은 무조건 나쁘다고 생각하지 말아야 합니다. 공교육에서 국어, 영어, 수학, 논술, 과학 등 학과 과목을 배우고, 사교육 기관에서는 재능 중심 수업을 하는 방법도 있습니다. 그리고 학교에서 배우는 과목에 어려움을 겪는 학생들이 학원에서 보충 교육을 받는다면 더욱더 좋겠지요. 이것이 사교육의 중요한 역할입니다. 그러나 초등학생이 학원에서 미리 선행 학습을 하는 것은 좋은 점보다 좋지 않은 점이 더 많습니다. 공부는 적절한 시기에 해야 쉽고 빠르게 배웁니다. 여러분은 선행 학습을 해 본 적이 있나요? 어떤 선행 학습이 힘들었나요? 지금도 여러분은 2년 후에 배울 것을 미리 학습하고 있나요?

*헬렌켈러와 설리반 선생

대립 어휘 표현

공교육 역할 : 사교육 역할 | 공교육비 : 사교육비 | 공교육 시설 : 사교육 시설

대립 어휘 12

공유(公有) : 사유(私有)

난이도 ✻✻✻
〈통합〉

국가나 지방 자치 단체가 소유하면 **공**유,
개인이 소유하면 **사**유

주제 쓰기

'부동산'은 무슨 뜻일까?

한 사람의 재산은 동산과 부동산, 무형 재산 세 가지로 구분됩니다. 동산(動産)은 움직일 수 있는 재산으로 자동차, 냉장고 등 물건과 현금, 주식이 이에 속합니다. 땅과 건물처럼 이동이 불가능한 재산이 부동산(不動産)입니다. 지적 재산권, 특허권, 인세처럼 형태가 없는 무형의 재산도 있습니다. 개인이 가진 재산이 **사유** 재산이고, 개인은 자신의 재산을 마음대로 사용해도 되는 사유 재산권을 가집니다. 사유 재산권은 자본주의의 근본 이념 중 하나입니다. 자본주의 사회에서는 개인이 돈을 벌어서 쓰는 데에 특별한 제한이 없습니다.

개인만이 재산을 소유하는 것이 아닙니다. 국가나 공공 단체도 재산을 소유합니다. 공공 기관이 보유한 재산이 **공유** 재산입니다. 공유 재산에는 현금뿐만 아니라 공원, 체육 시설, 야산, 토지 등이 속합니다. 개인이 마음대로 처분할 수 있는 사유 재산과 달리 공유 재산은 사회 모든 구성원들의 재산이기 때문에 공공 목적을 위해서 쓰여야 합니다. 우리는 사유 재산뿐만 아니라 공유 재산도 관리를 잘해야 합니다. 여러분이 이용하고 있는 학교, 공원 이외에 어떤 공유 재산이 있는지 찾아보세요.

핵심 낱말

대립 어휘 표현

공유 재산 : **사유 재산** | 공유물 : **사유물**

같은 소리 다른 한자

다음 한자를 익히고 예문의 빈칸을 채워 봅시다.

정답 p.233

공(空) : 비다

공짜 (空 -) - 돈을 주지 않고 거저 얻은 물건.
공기 (空氣) - 우리가 숨 쉴 때 들이마시고 내뱉는 기체.
진공 (眞空) - 이론적으로 공기나 물질이 존재하지 않는 공간.
항공 (航空) - 비행기로 공중을 날아다님.
공간 (空間) - 비어 있어서 무엇이든 채울 수 있는 곳. (대립 어휘 : 시간)
공상 (空想) - 실제로 일어날 가능성이 없는 상상.

① 산소통은 ________가 부족한 물 속이나 우주에서는 반드시 필요하다.

② 세상에 노력하지 않고 얻을 수 있는 ________란 없다.

③ 그 아이는 늘 ________에 빠져 있는 듯한 표정으로 학교에 온다.

④ 누구에게나 자신만의 ________이 필요하다.

⑤ 성수기에 미리 예약하지 않으면 ________권을 구하기 어렵다.

⑥ 달은 거의 ________ 상태에 가깝다.

사(史) : 역사

역사 (歷史) - 인간이 거쳐온 모습이나 사건 기록.
국사 (國史) - 한 나라의 역사.
선사 시대 (先史時代) - 석기 시대, 청동기 시대처럼 역사 기록이 존재하지 않는 시기.
사학 (史學) - 역사를 연구하는 학문.

⑦ 내 친구는 역사에 흥미가 있어서 대학교에서 ________을 전공한다.

⑧ 우리는 자국의 역사를 제대로 알기 위해 ________를 배운다

⑨ ________________의 역사 연구는 기록된 문헌이 없어서 유물에 의존해야 한다.

⑩ '자국의 ________를 잊은 민족에게 미래는 없다'는 말을 가슴에 새기도록 하자.

기본 문제

정답 p.233

1 **소리가 같은 한자 '공'(公, 空)에서 만들어진 어휘들입니다. 뜻이 같은 한자에서 만들어진 어휘들끼리 묶어서 써 보세요.**

공적 | 공짜 | 공교육 | 공기 | 공유 재산 | 진공 | 공기업 | 항공 | 공립 | 공간 | 공상

㉠ 공평하다 **공(公):**

㉡ 비다 **공(空):**

2 **소리가 같은 한자 '사'(私, 史)에서 만들어진 어휘들입니다. 뜻이 같은 한자에서 만들어진 어휘들끼리 묶어서 써 보세요.**

사적 | 역사 | 사교육 | 국사 | 사유 재산 | 사기업 | 선사 시대 | 사학 | 사립 | 사설

㉠ 개인 **사(私):**

㉡ 역사 **사(史):**

3 **다음 어휘가 들어간 간단한 문장을 써 보세요.**

공공 기관:

국사:

선사 시대:

정답 p.233

비교와 대조를 통한 개념과 원리 중심 학습

공부란 무엇인가?

'새로운 것을 알고 체계화하는 것이 공부다.'

우리는 학교와 집에서 공부를 합니다. 그런데 공부란 도대체 무엇일까요? 공부(工夫)는 학문이나 기술을 배우고 익힘을 뜻합니다. 학교에서 국어, 수학, 과학, 사회를 배우는 것도, 음악, 미술, 체육, 체험 활동에서 배우는 것도 공부입니다. 그렇다면 무엇을 어떻게 배우고 익혀야 진정한 공부일까요? 공부는 1) 새로운 지식을 얻고 2) 이미 알고 있는 지식과 새롭게 얻은 지식을 연결하는 행위입니다. 3학년이 되면 곱셈과 나눗셈을 배웁니다. 공부는 곱셈과 나눗셈을 배워서 익히는 것으로 끝이 아닙니다. 더 중요한 것은 이전에 알고 있던 덧셈, 뺄셈과 곱셈, 나눗셈은 어떤 관계에 있는가를 파악하는 것입니다.

예를 들면 도형 학습에서 삼각형과 사각형의 관계를 따져 보고, 오각형, 육각형은 이미 알고 있는 삼각형, 사각형과 어떤 관계에 있는지 파악해야 합니다. 이렇게 새로운 것을 알고, 기존에 알고 있던 것과 체계적으로 연결해서 머리에 저장하는 행위가 공부입니다. 100점을 받기 위해서 비슷한 문제를 무한정 풀어 보거나, 똑같은 단어나 한자를 100번씩 쓰는 것은 공부가 아닙니다.

비교와 대조 그리고 개념

우리는 1장에서 비교와 대조를 배웠습니다. 정삼각형이 어떤 도형인지 정의를 내리기 위해서는 직각삼각형, 이등변삼각형과 공통점과 차이점을 찾아서 비교하면 됩니다. 마찬가지로 정사각형과 직사각형, 마름모, 평행사변형, 사다리꼴을 서로 비교하면 모든 사각형에 대한 개념이 쉽게 파악됩니다. 비교와 대조는 개념을 정리하는 가장 좋은 방법입니다.

개념과 원리 중심의 학습

'오십각형의 내각의 합은 얼마일까?'

삼각형, 사각형은 있는데 왜 이각형은 없을까요? 삼각형과 사각형은 평면 다각형입니다. 다각형을 만들기 위해서는 최소한 선분이 3개 이상 필요합니다. 두 개의 선분으로 아무리 조작을 해도 막혀 있는 평면 도형을 만들 수 없습니다. 삼각형은 가장 적은 수의 선분으로 만든 평면 도형입니다. 삼각형은 선분 3개를 서로 연결해서 각이 3개 만들어진 도형입니다.

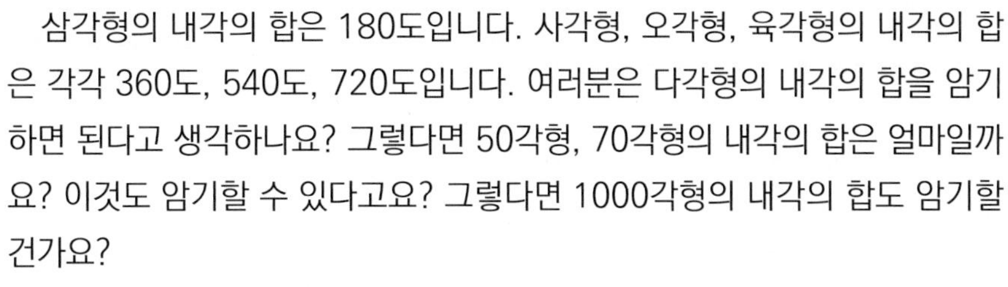

삼각형의 내각의 합은 180도입니다. 사각형, 오각형, 육각형의 내각의 합은 각각 360도, 540도, 720도입니다. 여러분은 다각형의 내각의 합을 암기하면 된다고 생각하나요? 그렇다면 50각형, 70각형의 내각의 합은 얼마일까요? 이것도 암기할 수 있다고요? 그렇다면 1000각형의 내각의 합도 암기할 건가요?

다각형의 내각의 합은 삼각형의 원리를 이용하면 쉽게 그 답을 구할 수 있습니다. 다각형을 삼각형으로 나누면 됩니다. 사각형은 삼각형 두 개, 오각형은 삼각형 세 개, 육각형은 삼각형 네 개로 나눌 수 있습니다. 첫 번째 삼각형은 꼭짓점 3개가 필요하고, 그 다음부터는 꼭짓점이 하나만 있으면 삼각형이 됩니다. 그래서 다음과 같은 공식이 만들어집니다.

다각형의 내각의 합

사각형	(4−2) x 180 = 360	50각형	(50−2) x 180 = 8640
오각형	(5−2) x 180 = 540	100각형	(100−2) x 180 = 17640
육각형	(6−2) x 180 = 720	1000각형	(1000−2) x 180 = 179640

개념과 원리 중심 학습에는 스스로 경우의 수를 만드는 사고가 필요합니다. 사고하지 않는 학습은 학습이 아닙니다. 이제 생각해 보세요. 모든 다각형의 외각의 합은 왜 360도일까요?

생활 속에서 찾아보는 비교와 대조

야구와 축구의 공통점과 차이점은 무엇일까요? 일상생활에서도 비교와 대조는 새로운 지식을 얻는 매우 중요한 수단입니다. 야구는 손과 글러브, 축구는 발과 머리를 주로 사용하는 운동입니다. 우리는 이 두 운동을 비교함으로써 야구와 축구에 대해서 더 자세하게 알게 됩니다.

야구와 축구를 비교하고, 이를 토대로 다른 운동을 추가하여 비교할 수 있습니다. 농구와 핸드볼이 야구, 축구와 무엇이 다른지 비교 방법으로 쉽게 파악됩니다. 비교와 대조는 '농구와 핸드볼', '축구와 럭비', '테니스와 연식 정구', '아이스하키와 필드하키' 등 유사한 운동의 차이점을 찾는 효과적 방법입니다. 일상생활에서 소재를 찾아 공통점과 차이점을 찾아내는 훈련을 해 보세요. 책과 공책, 의자와 책상, 양말과 장갑 등 무엇이든 비교의 소재가 됩니다.

모국어 열쇠 활용 문제

두 비교 대상을 찾아서 공통점과 차이점을 찾아보세요. 사자와 호랑이, 남자와 여자, 엄마와 아빠, 나와 내 친구, 밥과 햄버거처럼 비교할 수 있는 대상을 먼저 정하고 어떤 내용을 비교할 것인지 생각해 보세요.

심화 문제

정답 p.233

1

다음 표에 대립하는 한자어로 빈칸을 완성해 봅시다.

타의	
자율	
사유	
자국	
공교육	

공적	
타인	
공립	
사무	
공유지	

2

다음 문장에 알맞은 단어를 골라서 동그라미를 그려 봅시다.

㉠ 선생님께서 출장을 가셔서 우리는 오전 시간에 **(자율 / 자의)** 학습을 했어요.

㉡ 국사는 **(자국 / 자신)**의 역사를 가르치는 과목입니다.

㉢ **(공적 / 공무)** 자리에서 가족 이야기는 가능하면 하지 않는 것이 좋아요.

㉣ 두 사람만 비밀을 **(사유 / 공유)**했다고 생각했는데 이미 세상 사람들이 알고 있었어요.

㉤ 세상에 **(공짜 / 공채)**는 없어요.

㉥ **(선사 / 역사)** 시대에 대해 기록된 문헌이 없지요.

우리말 바로 쓰기 교실 ②

'-이'와 '-히' 구별하기 

정답 p.233

〈'-이'와 '-히' 구별 원칙〉

1. 분명히 [이]로 소리가 나면 **'-이'**로 적습니다.
   따뜻이, 반듯이, 의젓이, 나붓이, 둥긋이
2. [히]로만 소리가 나거나, [이]나 [히]로 소리가 나면 **'-히'**로 적습니다.
   [히]로만 나는 소리: 극히, 급히, 딱히, 속히, 특히, 정확히
   [이], [히]로 나는 소리: 간편히, 나른히, 쓸쓸히, 정결히, 각별히

다음 맞춤법에 맞는 단어에 ○표 하고 빈칸에 써 보세요.

1	깨끗이	깨끗히	
2	가만이	가만히	
3	솔직이	솔직히	
4	정확이	정확히	
5	과감이	과감히	
6	작이	작히	
7	버젓이	버젓히	
8	소홀이	소홀히	
9	족이	족히	
10	느긋이	느긋히	

학습할 내용

5. 동이(同異): 같음과 다름

대립 어휘 13. 동의(同議) : 이의(異議)

대립 어휘 14. 동질감(同質感) : 이질감(異質感)

대립 어휘 15. 동성(同性) : 이성(異性)

같은 소리 다른 한자

동(動) "움직이다"

동력(動力) / 동작(動作) / 율동(律動) / 활동(活動) / 동맥(動脈) / 동영상(動映像)

이(移) "옮기다"

이사(移徙) / 이동(移動) / 이민(移民) / 이주(移住) / 이식(移植)

6. 단복(單複): 하나와 여럿

대립 어휘 16. 단식(單式) : 복식(複式)

대립 어휘 17. 단수(單數) : 복수(複數)

대립 어휘 18. 단순(單純) : 복잡(複雜)

같은 소리 다른 한자

단(團) "둥글다, 모이다"

단체(團體) / 집단(集團) / 단속(團束) / 단지(團地) / 단합(團合)

복(服) "옷"

한복(韓服) / 양복(洋服) / 복장(服裝) / 방탄복(防彈服) / 잠수복(潛水服) / 우주복(宇宙服)

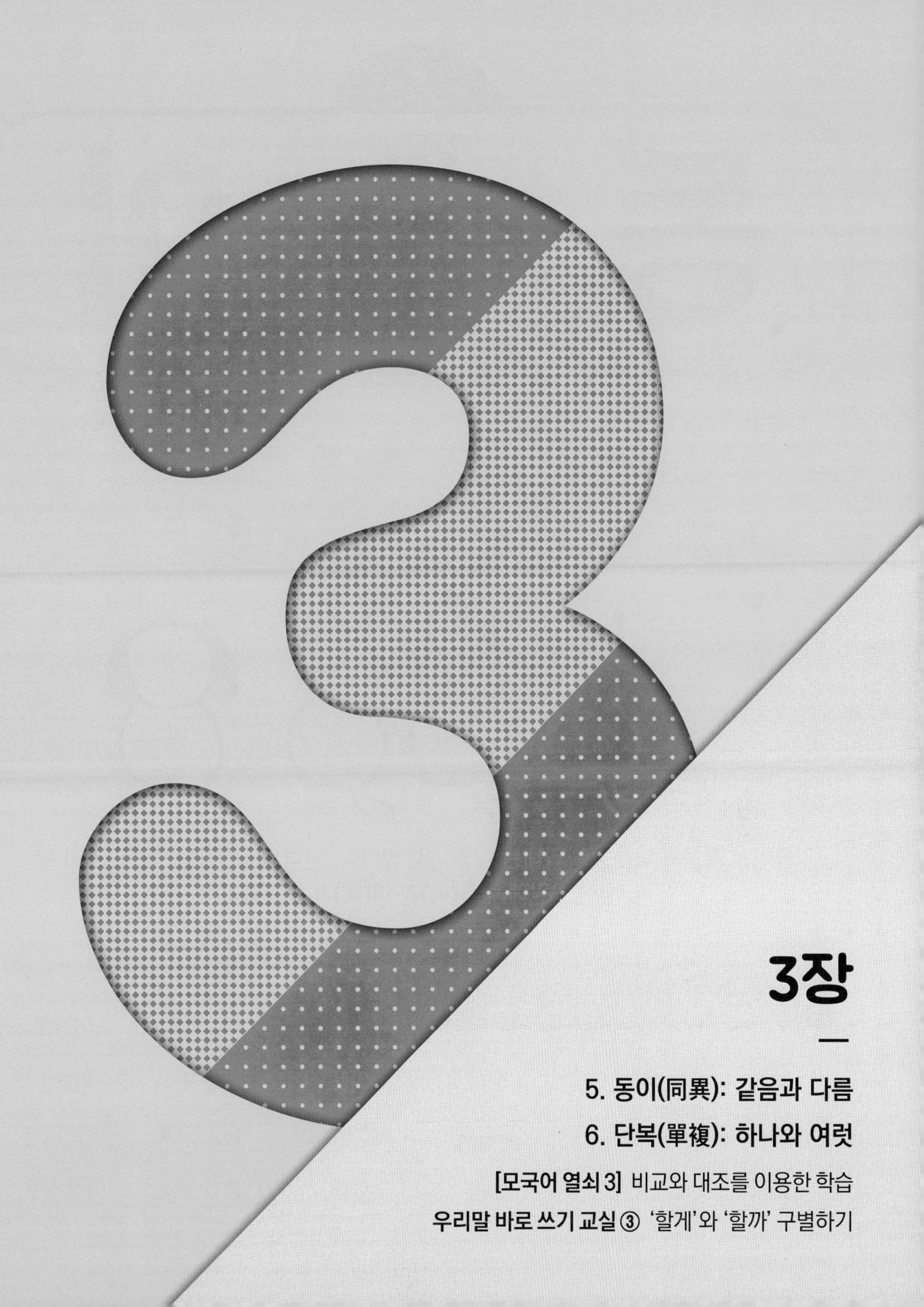

3장

—

5. 동이(同異): 같음과 다름

6. 단복(單複): 하나와 여럿

[모국어 열쇠 3] 비교와 대조를 이용한 학습

우리말 바로 쓰기 교실 ③ '할게'와 '할까' 구별하기

동이는 같음과 다름을 나타내는 대립 개념입니다. 남녀의 성, 감정, 의미, 소리 등 다양한 낱말에서 **동(同)**과 **이(異)**가 대립합니다.

동이가 대립하는 표현

동	이
동성	**이**성
동질감	**이**질감
동의	**이**의
동음	**이**음
동일한	상**이**한
동화	**이**화
동성애	**이**성애
동포	**이**방인
동종 교배	**이**종 교배
동성 친구	**이**성 친구

대립 어휘 **13**

난이도 ✻✻✻
〈국어〉

동의(同議) : 이의(異議)

상대와 의견이 같으면 **동**의, 다르면 **이**의

주제 쓰기

올바른 토론은 어떻게 하는 것일까?

어떤 일에 대하여 여러 사람이 검토하고 협의하면 토의이고, 어떤 주제에 대하여 서로 다른 생각을 가진 사람들이 각자 의견을 내세워 주장하면 토론입니다. 토의와 토론은 비슷해 보이지만 목적이 서로 다릅니다. 토의에서는 최선의 해결책을 찾고, 토론에서는 상대방을 이해시키고 설득합니다. '선행 교육 금지, 조기 교육의 효과' 등 어떤 주제에 대해서 서로 반대되는 의견을 가진 사람들이 벌이는 토론이 찬반 토론입니다. 토론에서 상대 주장이 합리적이고 설득력이 있으면 그 의견에 동의하지만, 상대 주장에 논리적, 합리적 근거가 없으면 이의를 제기합니다. **동의**는 상대와 의견을 같이함이고 **이의**는 상대와 의견을 달리함입니다.

찬반 토론은 무기와 칼을 가지고 싸우는 전쟁이 아니라 말로 상대방과 싸우는 논쟁입니다. 근대에 영국 하원에서는 토론 중 여야의 의견 차이가 칼싸움으로 번진 적이 있습니다. 그 이후로 영국 하원에서는 상대방에게 닿지 않도록 여야의 좌석에 간격을 두었지요. 이것이 '소드 라인(Sword line)'이고 그 뜻은 '칼 길이의 선'입니다. '소드 라인'은 토론에서 무력 사용을 금지하는 상징적 표현입니다. 찬반 토론에서는 반드시 상대방과 의견 충돌이 일어납니다. 토론에서 반대 주장을 하는 사람을 무시하거나 상대에게 화를 내지 않아야 합니다. 토론 과정에서 상대에게 욕을 하거나 무력을 사용하는 사람은 인격적으로 미성숙한 사람입니다. 여러분은 상대방이 자신의 의견에 이의를 제기할 때 어떻게 대응하고 있나요?

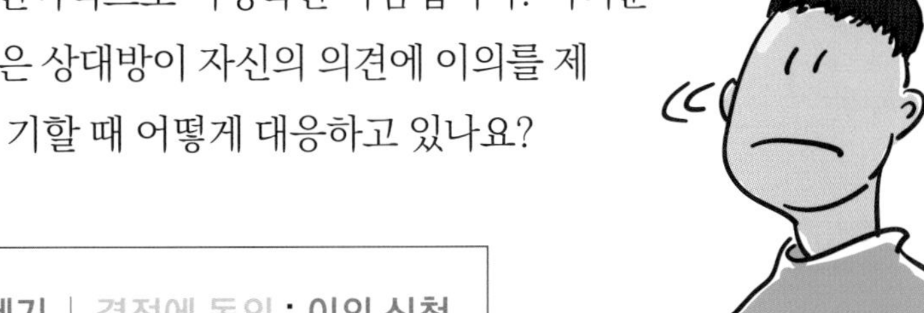

핵심 낱말

대립 어휘 표현

의견에 동의 : **이의 제기** | 결정에 동의 : **이의 신청**

주제 쓰기

핵심 낱말

대립 어휘 14

동질감(同質感) : 이질감(異質感)

난이도 ***
〈통합〉

익숙하거나 잘 맞는 느낌이 **동**질감,
낯설거나 잘 맞지 않는 느낌이 **이**질감

사람들은 왜 이질감을 느낄까?

우리는 취미, 관심사, 나이, 재산 등이 비슷한 사람과는 **동질감**을, 자신과 공통점이 없는 사람에게는 **이질감**을 느낍니다. 이것은 같은 환경과 처지에 있는 사람들끼리는 서로 마음을 이해하고 대화가 통한다고 생각하기 때문입니다. 운동에 관심이 없는 사람은 운동 이야기만 하는 모임에 가면 이질감을 느낍니다. 다른 나라로 이민을 가거나 유학을 가면 문화적 이질감을 느끼기도 합니다. 이러한 종류의 이질감은 관심사가 다르거나 익숙하지 않은 문화와 환경에서 비롯됩니다.

이질감이 서로 다를 경우에만 느껴질까요? 사람들은 다른 점보다 오히려 공통점이 많을 때 더 심한 이질감을 느끼기도 합니다. 1990년 독일이 통일된 이후 구동독 사람들은 서독 사람들에 대해서 같은 국민이라는 동질감을 느끼지 못했다고 합니다. 동독 사람들과 서독 사람들의 생활 수준 차이가 심했기 때문입니다. 그들은 같은 독일 사람이라서 이질감을 느낀 것입니다. 이처럼 이질감은 공통점이 더 많은 관계에서 더 심하게 느끼기도 합니다. 여러분은 어떤 모임에서 이질감을 느껴 본 적이 있나요? 여러분이 그 모임에 참석한 사람들과 어떤 공통점이 있었는지 생각해 보세요.

대립 어휘 표현

친숙한 동질감 : 낯선 이질감 | 문화적 동질감 : 문화적 이질감

대립 어휘 15

난이도 ✻✻
〈국어〉

동성(同性) : 이성(異性)

성이 같으면 **동**성, 다르면 **이**성

주제 쓰기

핵심 낱말

동성과 이성의 두 가지 다른 의미

청소년이 사춘기에 접어들면 **이성**에 대한 관심이 증가합니다. 일반적으로 사람들은 청소년 시기에 이성 친구를 만나게 됩니다. 우리가 남자 친구, 여자 친구라고 부르는 상대는 이성 친구입니다. 여기에 쓰이는 이성(異性)은 남자에게는 여자, 여자에게는 남자입니다. 그런데 '인간은 이성적 동물'이라는 말이 있습니다. 이때 사용하는 이성(理性)은 개념적으로 사고하는 능력, 선악과 참과 거짓을 구별할 수 있는 능력입니다. 인간과 동물은 이 능력에서 근본적 차이가 있습니다. 이성(異性)과 이성(理性)은 같은 소리이지만 뜻이 전혀 다른 동음이의어입니다.

동성(同性)은 남성 또는 여성만을 따로 지칭하는 말입니다. 동성 결혼은 남자들끼리 또는 여자들끼리 부부가 되는 일로 많은 나라에서 허용 여부로 논란이 되고 있습니다. 전통적으로 남성과 여성이 결혼했습니다. 그런데 요즘에는 같은 성을 가진 사람들이 결혼하는 일이 생겨났습니다. 우리나라에서는 아직 동성 결혼이 법적으로 허용되지 않습니다. 그 대신 조선 시대부터 금지했던 동성동본 결혼은 2005년부터 허용했습니다. '동성 결혼, 동성애' 등에 쓰인 동성(同性)과 '동성동본 결혼'에 쓰인 동성(同姓)은 서로 다른 낱말입니다. 동성(同性)은 남자들 또는 여자들로 성이 같다는 뜻이고, 동성(同姓)은 박 씨, 김 씨, 이 씨, 정 씨 등에 쓰이는 성씨가 같다는 뜻입니다. 이 두 낱말도 소리는 같지만 의미가 다른 동음이의어입니다. 우리말에는 동음이의어가 대단히 많습니다. 아빠, 엄마, 친구들과 함께 우리말 동음이의어 찾기 게임을 해 보세요.

대립 어휘 표현

동성애 : 이성애 | 동성 또래 집단 : 이성 또래 집단

같은 소리 다른 한자

다음 한자를 익히고 예문의 빈칸을 채워 봅시다.

정답 p.233

동(動) : 움직이다

동력 (動力) – 움직이도록 만드는 힘.
동작 (動作) – 몸이나 손발의 움직임.
율동 (律動) – 일정한 리듬에 맞춰 움직임.
활동 (活動) – 사람이나 동물이 움직이는 행동.
동맥 (動脈) – 심장에서 피를 신체의 각 부분으로 내보내는 혈관. (대립 어휘 = 정맥)
동영상 (動映像) – 움직이는 그림. (대립 어휘 = 사진)

① 혈관에는 산소와 영양분을 공급하는 ________과 노폐물을 심장으로 옮기는 정맥이 있다.

② 집 주변에 학원이 없어서 인터넷 ________ 강의로 공부하는 방법을 택했다.

③ 근처 양로원에서 봉사 ________으로 할머니, 할아버지 심부름을 했다.

④ 학예회 준비를 위해서 신나는 노래에 맞춰 ________ 을 연습했다.

⑤ 다음 세대를 위해서 미래 성장 ________을 지금부터 준비해야 한다.

⑥ 전원, ________ 그만! 십 분간 휴식은 이것으로 끝낸다.

이(移) : 옮기다

이사 (移徙) – 사는 곳을 다른 장소로 옮김.
이동 (移動) – 자리를 바꾸거나 옮김.
이민 (移民) – 자기 나라를 떠나 타국에서 살아감.
이직 (移職) – 다니던 직장을 옮기거나 직업을 바꿈.
이식 (移植) – 식물을 옮겨 심거나, 생물의 장기나 조직을 옮김.

⑦ 어르신들은 '손 없는 날'에 ________를 해야 새로운 집에서 해를 입지 않는다고 말씀하셨다.

⑧ 친구 아빠가 ________해서 다른 직장에서 일을 시작했다.

⑨ 여러 사람이 한꺼번에 ________하면 위험하므로 차례차례 줄지어서 대피하도록 한다.

⑩ 캐나다로 ________을 갔던 삼촌이 다시 돌아왔다.

⑪ 현재 기술로는 심장, 신장, 간을 인공적으로 만들지 못해 ________을 해야 한다.

기본 문제

정답 p.233

1 **소리가 같은 한자 '동'(同, 動)에서 만들어진 어휘들입니다. 뜻이 같은 한자에서 만들어진 어휘들끼리 묶어서 써 보세요.**

동력 | 동의 | 동작 | 동질감 | 율동 | 동음 | 활동 | 동포 | 동맥 | 동성 | 동영상

㉠ 같다 **동(同):**

㉡ 움직이다 **동(動):**

2 **소리가 같은 한자 '이'(異, 移)에서 만들어진 어휘들입니다. 뜻이 같은 한자에서 만들어진 어휘들끼리 묶어서 써 보세요.**

이사 | 이의 | 이동 | 이질감 | 이민 | 이성 | 이주 | 이방인 | 이식

㉠ 다르다 **이(異):**

㉡ 옮기다 **이(移):**

3 **다음 어휘가 들어간 간단한 문장을 써 보세요.**

활동:

이사:

이성:

6

하나와 여럿

단(單) 복(複)

단복은 하나와 여럿을 나타내는 대립 개념입니다. 수, 경기, 문장, 모음 등 다양한 낱말에서 **단(單)**과 **복(複)**이 대립합니다.

단복이 대립하는 표현

단	복
단수	복수
단식	복식
단리	복리

단	복
단문	복문
단순	복잡
단순	복합

단	복
단모음	복모음
단층 건물	복층 건물
단순 명사	복합 명사
단선 철도	복선 철도

대립 어휘 16

단식(單式) : 복식(複式)

난이도 ✻✻
〈체육〉

시합에서 일대일로 하는 개인전이 **단식**,
둘씩 짝을 지어 하는 단체전이 **복식**

주제 쓰기

실력이 좋은 선수들이 모인 팀이 항상 이길까?

운동 경기 중에는 개인전과 단체전으로 나뉘는 종목이 있습니다. 선수 두 사람이 일대일로 승부를 겨루는 경기가 개인전이고, 두 사람 또는 여러 명의 선수들이 한 팀이 되어 겨루는 경기가 단체전입니다. 테니스, 배드민턴, 탁구, 유도, 양궁, 펜싱, 골프 경기에 개인전과 단체전이 있습니다. 테니스, 배드민턴, 탁구에서 **단식** 경기는 한 사람이 한 팀이고, **복식** 경기는 두 사람이 한 팀입니다.

일대일 경기인 단식 경기에서는 선수의 개인 역량이 승패를 결정합니다. 하지만 복식 경기에서는 두 선수 간 호흡이 승패에 더 많은 영향을 미칩니다. 실력이 뛰어난 두 선수가 한 팀을 이루어도 서로 협력하고 조화를 이루지 못하면 팀이 승리하지 못합니다. 노래, 연기, 연주 등 오디션 프로그램에서도 두 명 이상이 팀을 이루는 경쟁을 시킵니다. 이 방법으로 팀 구성원으로서 다른 사람과 협력하면서 자기 역할을 수행하는지를 확인할 수 있기 때문입니다. 가족, 학교 그리고 사회 생활에서 집단의 한 구성원으로서 다른 사람들과의 협력과 소통이 매우 중요합니다. 여러 사람이 함께 하는 운동, 연주, 합창에서 혼자만 잘한다고 목적을 달성하거나 성공하기는 쉽지 않습니다. 여러분은 지금 주변 사람들과 협력과 소통을 잘하고 있는지요? 그러지 않다면 그 이유가 무엇인가요?

핵심 낱말

대립 어휘 표현

단식 경기 : **복식 경기** | 단식 우승 : **복식 우승** | 단식 시합 : **복식 시합**

주제 쓰기

핵심 낱말

대립 어휘 17

난이도 ***
〈국어〉

단수(單數) : 복수(複數)

수가 하나이면 **단**수, 둘 이상인 수가 **복**수

우리말에도 단수와 복수가 있을까?

우리말과 달리 영어에서는 단수와 복수가 뚜렷하게 구별됩니다. 영어에서 셀 수 있는 명사의 복수에는 따로 복수 표지를 붙입니다. **단수**는 하나, **복수**는 둘 이상을 뜻합니다. 영어에서 복수는 단수에 '-s/-es'를 붙여서 표시합니다. 'dog, cat, box, bus'의 복수는 'dogs, cats, boxes, buses'입니다. 단수와 복수는 영어뿐만 아니라 독일어, 러시아어, 프랑스어, 핀란드어 등에서도 분명하게 구별됩니다.

우리말에도 복수가 있을까요? 한국어에는 '-들'이 복수를 표시합니다. 그런데 영어와 한국어에서 복수는 큰 차이가 있습니다. 그 차이는 첫째, 영어는 단수와 복수를 반드시 구별해야 하지만, 우리말에서는 그렇지 않습니다. 예를 들어 우리말에서 "초등학생이 모여서 놀이를 한다."와 "초등학생들이 모여서 놀이를 한다."가 같은 뜻으로 쓰입니다. 둘째, 영어에서 복수는 명사에만 한정해서 사용하지만, 우리말에서는 어떤 낱말에나 쓸 수 있습니다. 우리말에서 "안녕들 하세요?", "점심은 잘들 먹었니?", "이제 끝났으니 돌아들 가세요."는 모두 문법적으로 맞는 표현입니다. 무엇이든 공통점과 차이점을 명확하게 아는 것이 중요합니다. 영어와 한국어에서 복수가 어떻게 다른지 이해했나요?

대립 어휘 표현

단수형 : **복수형** | 단수 명사 : **복수 명사** | 단수로 일치 : **복수로 일치**

대립 어휘 18

단순(單純) : 복잡(複雜)

난이도 ✻✻✻
〈통합〉

복잡하지 않고 간단한 것이 **단**순,
일이나 감정 따위가 얽혀 있는 것이 **복**잡

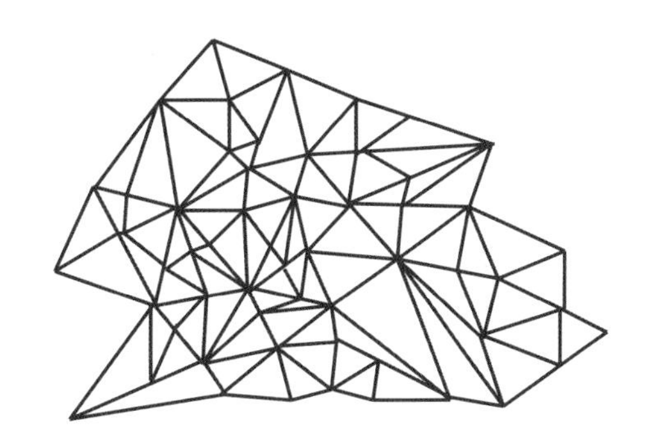

주제 쓰기

핵심 낱말

왜 단순함이 복잡함보다 어려울까?

스티브 잡스(Steve Jobs)는 "단순함이 복잡함보다 훨씬 어렵다(Simplicity is far more difficult than complexity.)"라고 했습니다. 언뜻 생각하면 이 말은 틀린 것처럼 들립니다. 그런데 잡스는 왜 이 말을 했을까요? 규칙과 정의는 대부분 매우 단순합니다. 예를 들면 "삼각형의 세 각의 합은 180도이다.", "정사각형의 네 각은 직각이고, 네 변의 길이가 같다.", "영어의 모든 문장에는 반드시 주어가 있어야 한다.", "분모는 0이 될 수 없다." 등은 아주 단순한 문장입니다. 이렇게 정의와 원리는 아주 **단순**하게 표현되지만 표현된 것보다 훨씬 **복잡**한 내용을 담고 있습니다.

사람들은 매우 복잡한 기능을 지닌 스마트폰을 아주 쉽게 사용합니다. 스마트폰 개발자들이 복잡함을 피하고 단순함을 추구했기 때문입니다. 우리는 스마트폰에서 간단한 조작으로 사진을 찍어서 확대, 축소, 회전, 저장하거나 다른 사람에게 즉시 전달할 수 있습니다. 잡스는 이렇게 복잡한 기능을 단순하게 조작할 수 있게 하기 위해 엄청난 노력을 했겠지요. 그 과정에서 단순함이 복잡함보다 더 어렵다는 사실을 깨달은 것입니다. 글을 읽고 한 문장으로 요약하거나, 주제를 쓰는 일도 이와 유사합니다. 이 글에서 읽은 내용을 한 문장으로 표현해 보세요. 그리고 왜 단순함이 복잡함보다 훨씬 어려운지 경험해 보세요.

대립 어휘 표현

단순한 구조 : **복잡한 구조** | 단순 노동 : **복잡 노동**

같은 소리 다른 한자

다음 한자를 익히고 예문의 빈칸을 채워 봅시다.

정답 p.233

단(團) : 둥글다, 모이다

단체 (團體) – 하나의 목적을 위하여 모인 사람들의 모임.
집단 (集團) – 여러 사람들이 모여서 이룬 모임.
단속 (團束) – 규칙이나 명령을 지키도록 살핌. (예. 음주 단속, 복장 단속)
단지 (團地) – 주택, 공장 등이 집단을 이루고 있는 장소.
단합 (團合) – 많은 사람이 힘과 마음을 뭉침. (= 단결)

① 우리는 위기가 닥칠 때마다 온 국민이 ________하여 어려움을 극복했다.

② 옛날 중·고등학교에서는 두발 규제와 복장 ________이 엄격했다.

③ 인간뿐만 아니라 개미와 벌도 ________을 이루어 산다.

④ 학생들이 ________ 생활에서 협동의 중요성을 깨닫게 되었다.

⑤ 방과 후에 친구들이 아파트 ________ 내의 놀이터에 모였다.

복(服) : 옷

한복 (韓服) – 우리나라 고유의 전통 옷.
양복 (洋服) – 서양에서 들어온 의복.
복장 (服裝) – 옷을 차려 입은 모양. (= 옷차림)
방탄복 (防彈服) – 총알을 막기 위하여 입는 옷.
잠수복 (潛水服) – 잠수부가 물속에서 활동할 때에 입는 옷.
우주복 (宇宙服) – 지구와 환경이 다른 우주에서 입도록 만든 특수한 옷.

⑥ 범죄자의 사격에 대비하기 위해 경찰들에게 ________이 지급되었다.

⑦ 만약 ________이 없다면 진공 상태인 우주에서 몸이 터져 버릴 것이다.

⑧ 제주도에 가면 해녀들이 ________을 입고 물질하는 것을 볼 수 있다.

⑨ 전통 결혼식에서는 신랑과 신부가 ________을 입는다.

⑩ 사람을 만날 때는 ________을 단정히 해야 좋은 인상을 줄 수 있다.

⑪ 장례식장에 갈 때는 사람들이 검은 ________을 주로 입는다.

기본 문제

정답 p.234

1

소리가 같은 한자 '단'(單, 團)에서 만들어진 어휘들입니다. 뜻이 같은 한자에서 만들어진 어휘들끼리 묶어서 써 보세요.

단수 | 단순 | 단체 | 단식 | 집단 | 단층 | 단속 | 단문 | 단지 | 단일 | 단합

㉠ 홑 **단(單):**

㉡ 둥글다, 모이다 **단(團):**

2

소리가 같은 한자 '복'(複, 服)에서 만들어진 어휘들입니다. 뜻이 같은 한자에서 만들어진 어휘들끼리 묶어서 써 보세요.

복수 | 한복 | 복합 | 양복 | 복장 | 복층 | 방탄복 | 복문 | 잠수복 | 복잡 | 우주복

㉠ 겹치다 **복(腹):**

㉡ 옷 **복(服) :**

3

다음 어휘가 들어간 간단한 문장을 써 보세요.

단순:

방탄복:

단합:

비교와 대조를 이용한 학습

한국어와 영어의 비교

외국어를 쉽게 배우는 방법은 무엇일까요? 가장 좋은 방법은 모국어와 외국어를 비교해서 공통점과 차이점을 명확하게 파악하는 것입니다. 먼저 모국어를 완벽하게 습득한 다음 외국어를 배워야 합니다. 영어와 한국어는 다른 언어이지만 공통점과 차이점이 있습니다. 영어에서 쓰이는 어휘는 대부분 한국어에도 있습니다. 영어의 모든 문장은 한국어로 번역이 가능합니다.

한국어와 영어의 차이점

영어와 한국어의 문장 구조, 표현 방식에 차이가 있습니다. 영어와 한국어의 차이점을 간략하게 살펴보겠습니다. 다음과 같이 모국어와 영어를 비교해서 특징을 알고 나면 훨씬 쉽게 영어를 배울 수 있습니다. 표에서 왼쪽이 한국어, 오른쪽이 영어입니다.

1) 동사의 위치

문장의 끝에 쓴다.	문장의 두 번째 자리에 쓴다.
내 친구들은 내 아버지를 **좋아한다.**	My friends **like** my father.
존은 민희를 **사랑한다.**	John **loves** Minhi.

2) 주어와 목적어 순서

자유롭게 바꿀 수 있다	바꿀 수 없다. 바꾸면 뜻이 달라진다.
사냥꾼이 곰들을 잡았다.	**The hunter** killed **bears.** (사냥꾼이 곰을 죽였다)
곰들을 사냥꾼이 잡았다.	**Bears** killed **the hunter.** (곰들이 사냥꾼을 죽였다)

3) 부사의 위치

동사 앞에 쓴다.	동사 뒤에 쓴다.
그는 **빨리 달렸다.**	He **ran fast.**
그녀가 노래를 **잘 불렀다.**	She **sang** a song **very well.**

4) 복수 표시

복수 표시를 하지 않아도 된다.	반드시 복수 표시를 해야 한다.
나는 **책** 두 권을 샀다.	I bought two **books**.
그들은 **학생(들)이다**.	They are **students**.

5) 조사와 전치사

명사 뒤에 조사를 쓴다.	명사 앞에 전치사를 쓴다.
학교**에서**	**at** school
저녁**에**	**in** the evening

6) 서술 형용사

형용사가 단독으로 쓰인다.	다른 동사(be, become 등)와 함께 쓴다.
이 꽃은 **아름답다**.	This flower **is beautiful**.
그 학생은 **정직하다**.	The student **is honest**.

7) 3인칭 단수 현재 동사

인칭에 따른 변화가 없다.	반드시 -'s/-es'를 붙인다.
아빠는 엄마를 **사랑한다**.	My father **loves** my mother.
선생님이 우리에게 영어를 **가르친다**.	The teacher **teaches** us English.

8) 명사 앞에 관사

관사가 없다.	부정관사 'a/an' 또는 정관사 'the'를 써야 한다.
나는 **책을** 읽었다.	I read **a book**.
나는 엄마가 사준 **책을** 읽었다.	I read **the book** which my mother bought.

모국어 열쇠 활용 문제

위에서 한국어와 영어의 몇 가지 차이점을 알아보았습니다.
여러분이 스스로 한국어와 영어의 차이점에 어떤 것이 있는지 찾아서
그 예를 써 보세요.

심화 문제

정답 p.234

1

다음 표에 대립하는 한자어로 빈칸을 완성해 봅시다.

동성	
이질감	
동의	
상이한	
동성 친구	

단식	
복층 건물	
단모음	
복잡	
단선 철도	

2

다음 문장에 알맞은 단어를 골라서 동그라미를 그려 봅시다.

㉠ 비행기 조종석은 아주 **(복잡 / 복합)**한 구조로 되어 있지요.

㉡ 오늘은 특별한 손님이 오시는 날이니 특별히 **(복장 / 복식)**에 신경을 쓰도록.

㉢ 다문화 가정의 아이들이 **(동질감 / 이질감)**을 느끼지 않도록 배려해야지요.

㉣ 이용 약관을 읽어 보시고 **(동의 / 동감)**하신다면 서명해 주세요.

㉤ 지난 여름 방학 기간에 양로원에서 봉사 **(율동 / 활동)**을 했어요.

㉥ 수학 여행에서 우리 반만 **(단체 / 집단)** 사진을 찍지 않았어요.

우리말 바로 쓰기 교실 ③

'할게'와 '할까' 구별하기

정답 p.234

〈된소리와 예사소리〉

1. 아래 표현은 발음은 **된소리[ㄲ, ㄸ, ㅃ, ㅆ, ㅉ]**로 나지만, **예사소리[ㄱ, ㄷ, ㅂ, ㅅ, ㅈ]**로 적어야 합니다.
   -ㄹ거나, -ㄹ걸, -ㄹ게, -ㄹ수록, -ㄹ지, -ㄹ지라도, -ㄹ지언정, -ㄹ진대, -올시다 (예: 나 밥 먹을게.)
2. 의문을 나타내면 **된소리**로 적습니다.
   -ㄹ까, -ㄹ꼬, -ㅂ니까, -리까, -ㄹ쏘냐 (예: 날씨가 왜 이리 더울꼬?)

다음 맞춤법에 맞는 것에 ○표 하고 빈칸에 써 보세요.

1	날이 갈수록	날이 갈쑤록	
2	또 문자 할게.	또 문자 할께.	
3	밥을 먹었습니가?	밥을 먹었습니까?	
4	내가 먼저 사과할걸.	내가 먼저 사과할껄.	
5	어떻게 될지 모르겠어.	어떻게 될찌 모르겠어.	
6	집에 갈가?	집에 갈까?	
7	홈런을 맞을지라도	홈런을 맞을찌라도	
8	이를 어찌할고?	이를 어찌할꼬?	
9	몇 등일지가 궁금하지?	몇 등일찌가 궁금하지?	
10	지나가는 나그네올시다.	지나가는 나그네올씨다.	

학습할 내용

7. 한양(韓洋): 우리나라와 서양

대립 어휘 19. 한식(韓食) : 양식(洋食)

대립 어휘 20. 한의학(韓醫學) : 양의학(洋醫學)

대립 어휘 21. 한복(韓服) : 양복(洋服)

같은 소리 다른 한자

한(限) "한정하다"

한정(限定) / 한계(限界) / 제한(制限) / 권한(權限) / 기한(期限) / 한시적(限時的)

양(養) "기르다"

양성(養成) / 양육(養育) / 영양(營養) / 배양(培養) / 교양(敎養) / 공양(供養)

8. 빈부(貧富): 가난함과 부유함

대립 어휘 22. 빈약(貧弱) : 부강(富强)

대립 어휘 23. 빈곤층(貧困層) : 부유층(富裕層)

대립 어휘 24. 빈익빈(貧益貧) : 부익부(富益富)

같은 소리 다른 한자

빈(頻) "자주"

빈번(頻繁) / 빈도(頻度) / 빈출(頻出)

부(部) "떼, 모임"

부서(部署) / 부분(部分) / 부문(部門)

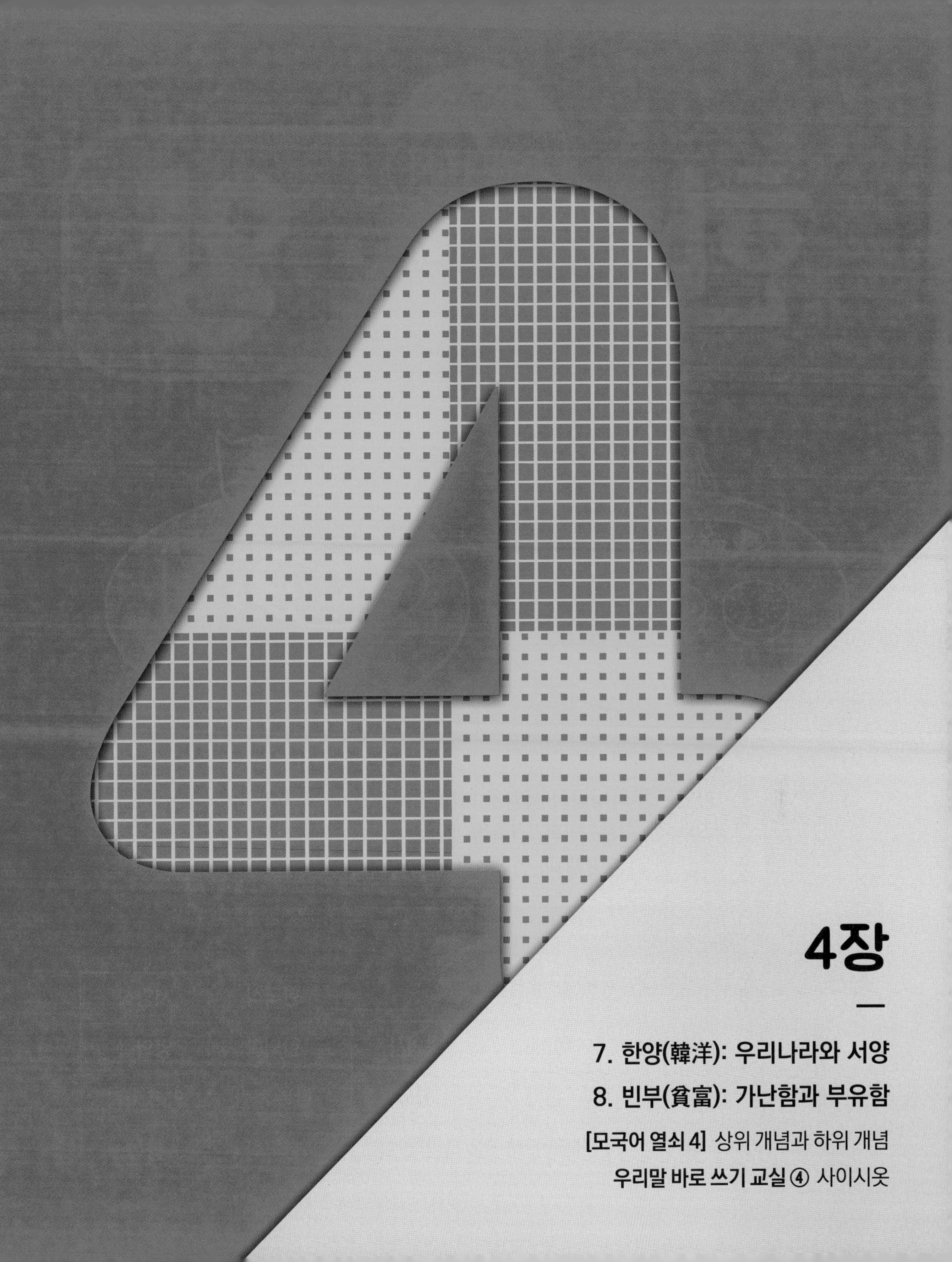

4장

7. 한양(韓洋): 우리나라와 서양

8. 빈부(貧富): 가난함과 부유함

[모국어 열쇠 4] 상위 개념과 하위 개념

우리말 바로 쓰기 교실 ④ 사이시옷

7 우리나라와 서양

한 韓 洋 양

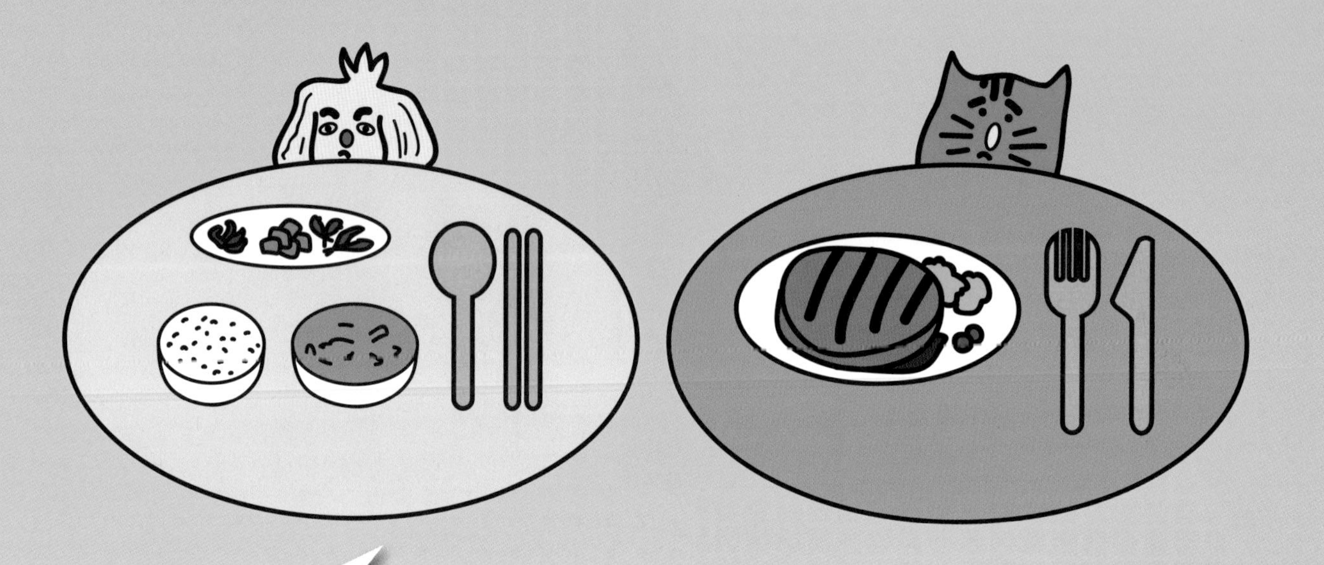

한양은 우리나라와 서양을 나타내는 대립 개념입니다.
의식주, 학문, 의복, 건축물, 의학과 관련된 낱말에서
한(韓)과 **양(洋)**이 대립합니다.

한양이 대립하는 표현

한식	**양**식
한복	**양**복
한약	**양**약

한의사	**양의사**
한옥	**양**옥
한국 문화	서**양** 문화

한국식	서**양**식
한의학	**양**의학
한복 차림	**양**복 차림
한국학	**양**학

대립 어휘 19

한식(韓食) : 양식(洋食)

난이도 *
〈통합〉

한국 전통 음식이 **한**식,
외국 음식 중 서양 음식이 **양**식

주제 쓰기

외국인들은 우리나라의 어떤 음식을 좋아할까?

우리나라 고유 음식이 **한식**입니다. 불고기, 비빔밥, 한과 등 전통 음식뿐만 아니라 김밥, 떡볶이, 순대 등도 모두 한식입니다. 우리가 즐겨 먹는 짜장면, 짬뽕, 우동, 탕수육, 군만두 등은 중식입니다. 그리고 초밥, 생선회 등은 일식이라 하고, 돈가스, 스테이크, 스파게티, 파스타 등은 **양식**이라고 하지요.

우리는 외국인들이 모두 불고기, 비빔밥, 김치와 같은 전통 한식을 좋아한다고 생각합니다. 그래서 외국인에게 늘 이 음식들을 권합니다. 그렇지만 전통 한식보다 떡볶이, 김밥, 라면을 좋아하는 외국인도 많습니다. 외국인 중에는 떡, 순대, 삼겹살, 심지어 보신탕을 좋아하는 사람들도 있습니다. 최근에는 맥주와 치킨을 함께 먹는 '치맥'이 외국인들에게 인기가 있습니다. 외국인 친구와 식사를 할 때는 전통 한식을 강요하지 말고 다양한 음식 중에서 친구가 자유롭게 선택하도록 배려해야 합니다. 여러분이 좋아하는 음식이 있듯이 외국인마다 좋아하는 음식이 다를 수 있습니다. 여러분이 알고 있는 외국인은 어떤 음식을 좋아하나요?

핵심 낱말

대립 어휘 표현

한식 요리사 : 양식 요리사 | 한정식 : 양식 정찬

주제 쓰기

핵심 낱말

대립 어휘 20

난이도 ✻✻
〈과학〉

한의학(韓醫學) : 양의학(洋醫學)

우리나라에서 발달한 의학이 **한**의학,
서양에서 들어온 의학이 **양**의학

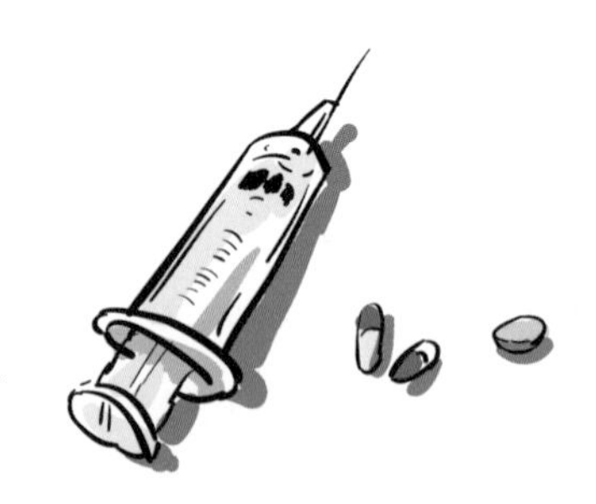

한의학과 서양 의학은 어떤 점이 서로 다를까?

한의학은 우리나라 전통 의술로 한의원과 한방 병원에서 행하는 치료법입니다. 반면 서양에서 들어온 의술이 서양 의학인데 이를 줄여서 **양의학**이라고 합니다. 소아과, 정형외과, 내과, 안과 등 일반 병원에서는 서양의 의료 기술을 사용합니다. 한의학과 서양 의학이 대립하듯이 의사와 한의사, 약과 한약, 의대와 한의대, 병원과 한의원이 각각 대립합니다. 한의학과 서양 의학은 사람의 신체에 의료 도구를 활용한 수술 여부에서 차이가 있습니다. 한의학에서는 수술을 하지 않고 자연에서 채취한 약초, 동물의 뼈나 뿔을 이용하여 치료합니다. 그러나 서양 의학에서는 화학적으로 제조된 약을 사용하거나 인체에 칼을 대는 수술을 해서 치료합니다. 한의학에서도 우리 몸에 침을 놓거나 뜸을 뜨기도 합니다.

한의학에서는 한약을, 서양 의학에서는 우리가 약이라고 일컫는 양약을 처방합니다. 한의학과 양의학은 사람의 인체를 바라보는 관점이 다릅니다. 그런 까닭으로 각기 다르게 발달한 의학입니다. 한의학은 사람의 병을 신체 한 부분이 아니라, 전체로 바라봅니다. 그래서 한의학에서는 부분 치료를 하지 않고 인체 전체에 영향을 미치는 침이나 한약을 사용합니다. 서양 의학에서는 사람의 인체를 각기 다른 부분으로 바라봅니다. 아픈 곳이 있으면 그 부분을 치료합니다. 서양 의학에서는 수술을 해서 병의 원인이 되는 곳을 제거하기도 합니다.

최근에는 한의학과 서양 의학을 동시에 적용하는 통합 의학이 발달하고 있습니다. 여러분은 아플 때 병원과 한의원 중 어느 곳으로 가는 것을 더 좋아하나요?

대립 어휘 표현

한약 : 양약 | 한의학 : 양의학 | 한의사 : 양의사

대립 어휘 21

난이도 ✱✱
〈통합〉

한복(韓服) : 양복(洋服)

우리나라의 고유한 옷이 **한**복,
서양식 의복이 **양**복

주제 쓰기

옷의 기능은 어떻게 변화했을까?

여러분은 왜 옷을 입나요? 옷은 체온을 유지하고 피부를 보호합니다. 추운 지방에서 옷은 체온을 유지하기 위한 필수품입니다. 그렇지만 적도 지역에 살고 있는 원주민들은 옷을 입지 않고 살기도 합니다. 춥지 않아서 체온 유지에 어려움이 없기 때문입니다. 119대원의 소방복, 잠수부의 잠수복, 환경미화원의 야광 조끼는 신체를 보호하기 위한 옷입니다. 옷은 위와 같은 기본적인 용도 외에 신분이나 개성을 표현하는 수단으로 발전했습니다. 군인, 경찰, 의사, 간호사, 승려, 성직자는 본래 기능 외에 자기 직업을 나타내는 정해진 옷을 착용합니다. 그리고 사람들은 대부분 자신에게 어울리는 다양한 디자인, 색깔, 무늬, 스타일의 옷을 선택해서 자기의 개성과 아름다움을 표현합니다.

우리 조상들이 입었던 고유한 옷이 **한복**이고 서양에서 들어온 옷이 **양복**입니다. 일반적으로 결혼식장에서 신랑, 신부의 어머니들은 한복, 아버지들은 양복을 입습니다. 전통 한복은 아름답고 우아하지만 일상생활을 하기에는 불편할 때가 있습니다. 그래서 전통 한복을 간편하게 바꾼 개량 한복을 입는 사람들이 늘어났습니다. 좋은 옷은 비싼 옷이 아니라 자신에게 맞는 옷입니다. 사람은 자신에게 맞는 옷을 단정하게 입고 있을 때 가장 아름답습니다. 어떤 색깔과 스타일의 옷이 여러분에게 가장 잘 어울리나요?

핵심 낱말

대립 어휘 표현

결혼 한복 : 결혼 양복 | 한복 차림 : 양복 차림

같은 소리 다른 한자 다음 한자를 익히고 예문의 빈칸을 채워 봅시다.

정답 p.234

한(限) : 한정하다

한정 (限定) – 수량이나 범위를 제한하여 정함.
제한 (制限) – 일정한 선을 정하여 넘지 못하게 막음.
기한 (期限) – 미리 정해 놓은 시기. (= 마감)
한계 (限界) – 능력, 책임 등이 실제로 작용하는 범위.
권한 (權限) – 사람이나 기관이 가진 권리와 권력.
한시적 (限時的) – 일정한 기간으로 한정한 짧은 기간.

① 유통 ________이 지난 상품들은 판매할 수 없습니다.

② 이번 기회에 나의 ________를 시험해 보고 싶군.

③ 저자 친필 서명이 들어간 책 50권을 ________ 판매합니다.

④ ________ 시간 내에 모든 문제를 맞힐 수 있을까?

⑤ 일반인은 이곳에 접근할 ________이 없습니다.

⑥ 휴가철 안전 사고에 내비하여 안전 요원을 ________으로 더 늘렸습니다.

양(養) : 기르다

양성 (養成) – 실력이나 역량을 발전시켜 길러 냄.
양육 (養育) – 아이를 보살피고 교육함.
배양 (培養) – 인공 환경에서 식물, 세포 등을 가꾸어 기름.
공양 (供養) – 음식을 먹거나 바치는 일.
영양 (營養) – 생물이 섭취하는 에너지. (예. 영양 보충, 영양 상태)
교양 (敎養) – 사회 생활과 예술을 비롯한 문화에 대하여 건전한 지식과 판단력이 있는 개인적 자질.

⑦ 어느 부모나 올바른 자녀 ________을 위해 고민하게 마련이다.

⑧ 여기서 ________하는 미생물들은 음식물 쓰레기를 분해하는 데 쓰입니다.

⑨ ________ 섭취를 골고루 해야 건강해집니다.

⑩ 사관학교는 뛰어난 장교를 ________해 내는 곳입니다.

⑪ 큰스님, 점심 ________ 시간입니다.

⑫ 겉모습과 다르게 그는 매우 ________ 있는 사람이었다.

기본 문제

정답 p.234

1 **소리가 같은 한자 '한'(韓, 限)에서 만들어진 어휘들입니다. 뜻이 같은 한자에서 만들어진 어휘들끼리 묶어서 써 보세요.**

한복 | 한정 | 한약 | 한계 | 한의원 | 한시적 | 한식 | 기한 | 한옥 | 국한 | 한국 | 제한

㉠ 우리나라 **한(韓):**

㉡ 한정하다 **한(限):**

2 **소리가 같은 한자 '양'(洋, 養)에서 만들어진 어휘들입니다. 뜻이 같은 한자에서 만들어진 어휘들끼리 묶어서 써 보세요.**

공양 | 양복 | 배양 | 양약 | 영양 | 양의사 | 교양 | 양식 | 양성 | 양옥 | 양육 | 서양인

㉠ 서양 **양(洋):**

㉡ 기르다 **양(養):**

3 **다음 어휘가 들어간 간단한 문장을 써 보세요.**

서양인:

한계:

영양분/영양소:

8 가난함과 부유함

빈 貧 富 부

빈부는 가난함과 부유함을 나타내는 대립 개념입니다. 국가, 계층, 사람, 지역 등과 관련된 낱말에서 **빈(貧)**과 **부(富)**가 대립합니다.

빈부가 대립하는 표현

빈	부
빈국	**부**국
빈곤층	**부**유층
빈익**빈**	**부**익**부**

빈	부
빈자	**부**자
빈한하다	**부**유하다
빈약한	**부**강한

빈	부
빈민촌	**부**촌
빈농	**부**농
빈부귀천 (**貧富**貴賤)	
빈부 격차 (**貧富** 隔差)	

대립 어휘 22

빈약(貧弱) : 부강(富强)

난이도 ***
〈사회〉

가난하고 힘이 없음이 **빈**약,
부유하고 강함이 **부**강

주제 쓰기

핵심 낱말

북반구와 남반구는 어떤 차이점이 있을까요?

지구는 위도가 0도인 적도를 중심으로 북반구와 남반구로 나뉩니다. 경제적으로 부강한 나라들이 북반구에 위치하고, 남반구보다 더 많은 사람들이 살고 있습니다. 북반구가 남반구에 비해서 토지가 비옥하고 지하자원이 풍부하기 때문입니다. 세계의 주요 강대국에 속하는 미국, 중국, 독일, 러시아, 영국, 프랑스, 일본 등이 모두 북반구에 자리합니다. 반면 남반구에 자리잡고 있는 아프리카, 남아메리카, 오세아니아 대륙에는 강대국이 없습니다. 북반구와 남반구는 환경뿐만 아니라 경제 상황도 다릅니다. 남반구와 북반구의 경제적 격차로 생긴 대립을 '남북문제'라고 합니다.

1945년 2차 세계 대전이 끝난 후에 지구 동쪽에 있는 소련의 위성국이었던 동유럽, 그리고 중국을 중심으로 공산주의 체제 국가가 세워졌습니다. 공산주의는 모든 국민에게 평등한 경제적 지위를 보장하는 이상 사회 실현을 목표로 했습니다. 공산주의에서는 사유 재산을 인정하지 않고 모든 재산이 국가에 속했습니다. 반면 미국과 서유럽에서는 개인의 능력에 따라서 재산을 모을 수 있는 자본주의와 개인의 자유와 권리를 인정하는 민주주의가 발달했습니다. 이렇게 지구 서쪽에는 자본주의, 동쪽에는 공산주의가 발달하여 서로 대립하게 되었습니다. 이것이 '동서대립'이었습니다. 오늘날 동서 간 대립은 공산주의가 붕괴해서 거의 사라졌지만, 남북 간 경제적 대립이 큰 문제로 대두하였습니다. 북반구의 **부강**한 국가가 남반구의 **빈약**한 국가에 경제 지원을 하고 있지만 경제적 격차는 여전히 나아질 기미가 보이지 않습니다. 대한민국은 북반구에 위치하고 있고 남반구의 국가들보다 상대적으로 부강한 나라입니다. 여러분은 남반구의 가난한 사람들을 위해서 어떤 일을 하고 싶은가요?

대립 어휘 표현

빈약한 국가 : 부강한 국가 | **빈약한 경제** : 부강한 경제

주제 쓰기

핵심 낱말

대립 어휘 23

난이도 ✻✻✻
〈통합〉

빈곤층(貧困層) : 부유층(富裕層)

가난하여 살기가 어려운 계층이 **빈**곤층,
넉넉하여 풍족하게 사는 계층이 **부**유층

우리는 왜 모두 세금을 내야 할까?

사회는 경제적으로 어려움을 겪고 있는 **빈곤층**과 물질적으로 풍족한 **부유층**이 함께 사는 공동체입니다. 경제적 차이로 인해 부유층과 빈곤층이 나뉘지만 모든 사람은 똑같이 인간으로서 존엄성이 있습니다. 대부분의 국가는 국민 인권을 최소한 보장하기 위해서 복지 제도를 만들었습니다. 북유럽에 있는 스웨덴, 노르웨이, 핀란드, 덴마크가 세계에서 복지 제도가 가장 발달한 국가로 알려져 있습니다. 그래서 사람들이 이 나라들을 일컬어 '지상 낙원'이라고 부르기도 합니다.

복지 국가를 건설하기 위해서는 많은 세금이 필요합니다. 세금은 국가와 공공단체를 운영하기 위해서 수입의 일부를 국가에 내는 돈입니다. 모든 국민은 국가에 세금을 납부해야 하는 납세의 의무가 있습니다. 국민도 세금을 내지만 회사도 이익을 내면 법인세라는 세금을 내야 합니다. 돈을 많이 버는 사람이 적게 버는 사람보다 더 많은 세금을 냅니다. 그리고 더 많은 이익을 내는 회사가 더 많은 법인세를 냅니다. 이처럼 소득이 더 많은 사람, 이익을 더 많이 내는 회사일수록 더 많고 높은 세율로 세금을 내는 제도가 누진세입니다. 복지 제도가 발달한 국가일수록 국민들이 더 많은 세금을 냅니다. 복지 국가에서는 거두어들인 세금으로 모든 사람들이 최소한의 삶의 질을 유지하도록 도움을 줍니다. 세금은 국민들이 열심히 일한 대가에서 거두어들인 돈입니다. 국민들이 불평하지 않고 기쁜 마음으로 세금을 낼 수 있도록 국가는 한 푼의 세금도 낭비하지 않아야 합니다. 부유층과 빈곤층의 사람들이 서로 도움을 주면서 살고 있다는 마음가짐이 있어야 서로를 존중하게 됩니다. 여러분이 세금으로 어떤 도움을 받고 있는지 생각해 보세요.

대립 어휘 24

빈익빈(貧益貧) : 부익부(富益富)

난이도 ✽✽
〈사회〉

가난할수록 더욱 가난해지는 것이 **빈**익빈,
부유할수록 더욱 부유해지는 것이 **부**익부

주제 쓰기

왜 가난한 사람은 더 가난해지고 부유한 사람은 더 부유해질까?

사람들은 시장에서 물건을 살 때 값이 싸고 좋은 물건을 찾습니다. 그래서 싸고 좋은 물건을 시장에 많이 공급하는 기업이 더 많은 돈을 법니다. 기업들은 서로 경쟁합니다. 이익을 내지 못해서 경쟁에서 패한 기업은 자연스럽게 도태됩니다. 이것이 자본주의 시장 경제 원리입니다. 시장 경제가 지배하는 사회에서 기업 간 경쟁은 피할 수 없습니다. 이러한 경쟁은 기업에도 적용되지만 서비스와 사업을 하는 개인 사업자에게도 동일하게 적용됩니다. 시장 경제 원리에서 **빈익빈 부익부**가 발생합니다. 규모가 큰 기업은 대량으로 물건을 생산하기 때문에 소량을 생산하는 작은 기업에 비해서 물건 한 개를 만드는 비용이 적게 들어갑니다. 그래서 대기업은 중소기업보다 더 싸게 물건을 팔아도 됩니다. 빈익빈 부익부는 개인에게도 동일하게 적용됩니다. 10억 원을 저축한 사람이 100만 원을 저축한 사람보다 더 많은 이자를 받습니다.

자본주의 사회에서 빈익빈 부익부는 피할 수 없는 현상입니다. 우리 사회에서 끊임없이 빈부 격차 문제가 대두되고 있습니다. 그렇다면 이대로 빈부 격차가 커지는 것이 바람직한 것일까요? 그렇지 않습니다. 가난한 사람들이 점점 많아질수록 부자들이 감당해야 하는 책임도 커집니다. 빈부 격차가 극도로 커지면 결국 사회 전체가 무너질 수 있습니다. 우리는 빈부 격차를 줄이기 위해서 지금보다 더 많은 노력을 기울여야 합니다. 여러분이 지도자가 된다면 우리 사회에서 빈부 격차를 줄이기 위해서 어떤 정책을 추진하고 싶은가요?

핵심 낱말

대립 어휘 표현

빈익빈 부익부 사회 | 빈익빈 부익부 현상 | 빈익빈 부익부 문제

같은 소리 다른 한자

다음 한자를 익히고 예문의 빈칸을 채워 봅시다.

정답 p.234

빈(頻) : 자주

빈번 (頻繁) – 어떤 일이 자주 일어남.
빈도 (頻度) – 같은 현상이나 일이 반복되는 횟수.
빈출 (頻出) – 자주 나오거나 쓰임. (예. 시험 빈출 단어)

① 이 책 끝에 수학능력시험 ________ 단어들만 모아서 따로 정리하였습니다.

② 요즘 도난 사고가 ________하게 발생하고 있어서 대책이 필요합니다.

③ 해마다 지진 발생 ________가 높아지고 있습니다.

부(部) : 떼, 모임

부서 (部署) – 기관이나 기업에서 나뉘어 있는 각 부문.
부분 (部分) – 전체를 구성하는 작은 단위.
부문 (部門) – 일정한 기준에 따라 분류한 부분이나 집합.

⑤ 그 작품이 아카데미상 주요 시상 ________에서 후보에 올랐습니다.

⑥ 우리 ________에서는 오징어를 말려서 가공하는 일을 합니다.

⑦ 전체는 ________으로 구성되지만 단순한 ________의 합은 아닙니다.

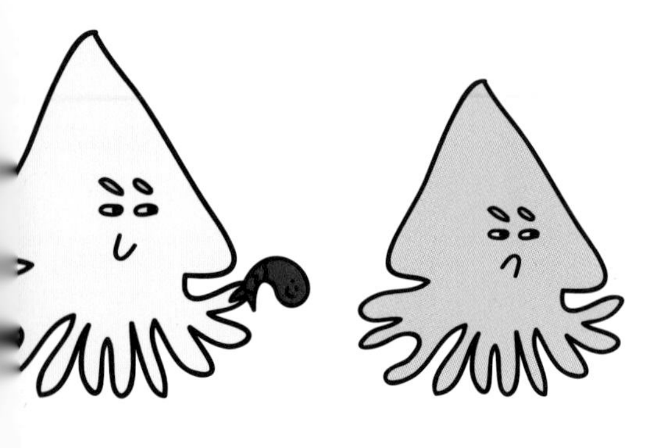

기본 문제

정답 p.234

1 **소리가 같은 한자 '빈'(貧, 頻)에서 만들어진 어휘들입니다. 뜻이 같은 한자에서 만들어진 어휘들끼리 묶어서 써 보세요.**

빈도 | 빈약 | 빈번 | 빈출 | 빈농 | 빈곤층

㉠ 가난하다 **빈(貧):**

㉡ 자주 **빈(頻):**

2 **소리가 같은 한자 '부'(富, 部)에서 만들어진 어휘들입니다. 뜻이 같은 한자에서 만들어진 어휘들끼리 묶어서 써 보세요.**

부강 | 부분 | 부유층 | 부익부 | 부문 | 부서

㉠ 부유하다 **부(富):**

㉡ 떼, 모임 **부(部):**

3 **다음 어휘가 들어간 간단한 문장을 써 보세요.**

갑부:

빈도:

부분:

정답 p.234

상위 개념과 하위 개념

상위 개념과 하위 개념이란 무엇인가?

생물은 움직이는 동물과 움직이지 못하는 식물로 나뉩니다. 이처럼 하나의 개념이 동등한 지위를 가진 개념으로 나뉘는 경우가 많습니다. 이 경우에 생물이 상위 개념이고, 동물과 식물은 생물의 하위 개념입니다. 상위 개념은 일반적으로 두 개의 하위 개념으로 분리됩니다. 사람이 남자와 여자로, 실수가 무리수와 유리수로, 유리수가 정수와 분수로, 혈관은 동맥과 정맥으로 나뉩니다.

주어의 대립 짝이 동사일까요 아니면 서술어일까요? 상위 개념인 문장은 주어와 서술어라는 두 개의 하위 개념으로 구성됩니다. 그래서 주어의 대립 짝은 '서술어'입니다. 동사는 서술어의 하위 개념으로 형용사와 함께 서술어로 쓰입니다.

범주와 대립 관계

결혼하지 않은 아들이 엄마와 여러 가지 특성에서 대립 관계를 형성합니다. 아들은 남자이고, 미혼이며 자녀가 없습니다. 그럼에도 불구하고 엄마의 대립 짝은 아들이 아니라, 아빠입니다. 바로 상위와 하위 개념으로 나뉘는 계층 구조가 다르기 때문입니다. 가족은 하위 개념인 부모와 자녀로 나뉩니다. 부모는 아빠와 엄마, 자녀는 아들과 딸로 구성됩니다. 각각의 계층 구조는 하나의 범주가 됩니다. 부모, 자녀가 각각 하나의 범주입니다. 범주 대신 '카테고리(category)'라는 용어를 사용하기도 합니다. 비교는 같은 범주에서 대상을 선택해야 의미가 있습니다. 낱말의 대립 짝도 우선 같은 범주에서 찾아야 합니다. 서로 다른 범주에 속하는 대상의 비교와 대조는 의미가 없습니다. 다음과 같이 범주가 다른 대상의 비교에서 무엇을 얻을 수 있을까요?

버스와 강아지 | 소나기와 학교 | 바다와 젓가락 | 교과서와 냉장고

위와 같이 서로 다른 범주의 짝은 비교 대상으로 부적절합니다. 설령 두 대상을 비교해도 얻는 것이 없습니다. 다음과 같이 대상 두 개가 같은 범주에 속해야 비교와 대립이 성립됩니다.

버스와 택시 | 강아지와 고양이 | 소나기와 이슬비 | 학교와 학원 | 바다와 하늘 | 젓가락과 숟가락 | 교과서와 참고서 | 냉장고와 냉동고

왜 비교와 대조를 할까?

버스와 택시는 교통 수단이고, 젓가락과 숟가락은 음식을 먹는 도구로 같은 범주에 속해서 비교 대상이 됩니다. 감나무와 밤나무는 모두 나무에 속합니다. 그렇지만 두 나무를 비교하는 경우에는 뿌리, 줄기, 잎, 열매를 따로따로 구분해서 두 나무의 차이점과 공통점을 찾아내야 합니다. 감나무의 뿌리와 밤나무의 잎, 감나무의 줄기와 밤나무의 뿌리를 비교하는 것은 범주가 다르기 때문에 의미가 없습니다.

소설을 읽거나 연극을 볼 때도 비교와 대조의 방법이 활용됩니다. 소설 속의 인물 햄릿과 돈키호테는 서로 비교되는 인간의 두 가지 유형입니다. 햄릿형 인간은 생각이 많고 신중하지만 행동에 옮기지 못하는 유형이고, 돈키호테형 인간은 일단 행동하고 생각하는 유형입니다. 이것은 소설에 나오는 주인공들을 비교한 결과입니다. 그런데 햄릿을 쓴 작가 셰익스피어와 소설 속의 인물 돈키호테를 비교해도 될까요?

비교와 대조는 사고력 향상, 개념 정립, 체계적 지식 획득에 큰 도움이 되는 방법입니다. 상위 개념, 하위 개념, 범주, 계층 구조 등에 대한 명확한 지식이 있어야 비교와 대조를 통해서 소기의 목적을 달성할 수 있습니다.

범주와 언어 표현

우리가 사용하는 언어에도 범주와 대립 어휘의 개념이 반영되어 있습니다. 우리는 매우 잔혹한 범죄를 저지르거나 폭력을 사용하는 사람을 "짐승만도 못한 사람"이라고 합니다. 이 말은 상위 개념인 포유동물에 속하는 사람과 짐승을 대립시켜서 생겨난 말입니다. 우리말에서 "짐승만도 못한 사람" 대신 "소나무만도 못한 사람", "고등어만도 못한 사람"이라는 표현은 사용되지 않습니다. 소나무는 식물로 사람과 다른 범주에 속하고, 고등어는 포유동물이 아닌 어류 범주에 속하기 때문입니다.

모국어 열쇠 활용 문제

여러분은 어떤 운동을 좋아하나요? 다음에 나열한 운동을 그 특성에 따라서 범주로 묶어서 구별해 보세요.

태권도 · 축구 · 아이스하키 · 마라톤 · 골프 · 핸드볼 · 럭비농구 · 탁구 · 테니스 · 수영 · 펜싱 · 양궁 · 크로스컨트리 · 유도 · 바둑
공을 가지고 하는 구기 운동 :
도구를 사용하는 운동 :
실내에서 하는 운동 :
시간 제한이 없는 경기 :
먼저 도착하는 선수가 승리하는 경기 :

심화 문제

정답 p.234

1 **다음 표에 대립하는 한자어로 빈칸을 완성해 봅시다.**

한식	
한복	
양옥	
한의학	
양의사	

빈곤층	
부강한	
빈익빈	
부농	
빈자	

2 **다음 문장에 알맞은 단어를 골라서 동그라미를 그려 봅시다.**

㉠ 아버지가 일자리를 잃은 이후로 우리 집은 이전보다 더 **(빈약 / 빈곤)**해졌어요.

㉡ 대한민국 미래를 짊어질 인재 **(양성 / 양육)**이 어느 때보다 필요한 시점입니다.

㉢ 개량 **(한옥 / 한복)**은 활동성이 좋아서 평소에도 입기에 편해요.

㉣ 마라톤은 인간의 **(한계 / 한정)**에 도전하는 경기입니다.

㉤ 명동 거리는 중국 여행객들이 **(빈출 / 빈번)**하게 오가는 곳입니다.

㉥ 김 감독의 영화가 시상식에서 3개 **(부분 / 부문)**을 수상했어요.

우리말 바로 쓰기 교실 ④

사이시옷

정답 p.235

〈'사이시옷'이 쓰이는 합성어〉

두 개의 낱말이 결합해서 한 단어가 될 때 그 사이에 'ㅅ'이 들어가는 경우가 있습니다.
이 'ㅅ'이 **사이시옷**이고 다음 세 가지 경우에 씁니다.

1. 뒷말의 첫소리 'ㄱ, ㄷ, ㅂ, ㅅ, ㅈ' 등이 된소리로 나는 단어
   (예: 해+수=[해쑤]→햇수, 자리+수=[자리쑤]→자릿수)
2. 'ㄴ, ㅁ' 앞에서 [ㄴ]이 발음되는 단어 (예: 퇴+마루=[퇸마루]→툇마루)
3. [ㄴㄴ]이 연달아 발음되는 낱말 (예: 예사+일=[예산닐]→예삿일)

다음 맞춤법에 맞는 것에 ○표 하고 빈칸에 써 보세요.

1	나루배	나룻배	
2	해님	햇님	
3	초점	촛점	
4	머리말	머릿말	
5	수자	숫자	
6	제사날	제삿날	
7	최대값	최댓값	
8	전세집	전셋집	
9	예사일	예삿일	
10	머리기름	머릿기름	

학습할 내용

9. 초말(初末): 처음과 끝

대립 어휘 25. 초기(初期) : 말기(末期)

대립 어휘 26. 초복(初伏) : 말복(末伏)

대립 어휘 27. 초하루(初--) : 말일(末日)

같은 소리 다른 한자

초(草) "풀"

초목(草木) / 초원(草原) / 초식 동물(草食動物) / 초가(草家) / 약초(藥草) / 감초(甘草)

말(抹) "지우다"

말소(抹消) / 말살(抹殺) / 일말(一抹)

10. 개폐(開閉): 열기와 닫기

대립 어휘 28. 개방(開放) : 폐쇄(閉鎖)

대립 어휘 29. 개장(開場) : 폐장(閉場)

대립 어휘 30. 개교(開校) : 폐교(閉校)

같은 소리 다른 한자

개(個) "낱"

개인(個人) / 개별(個別) / 개체(個體) / 개월(個月) / 개성(個性)

폐(弊) "폐단"

폐해(弊害) / 황폐(荒弊) / 민폐(民弊) / 폐단(弊端)

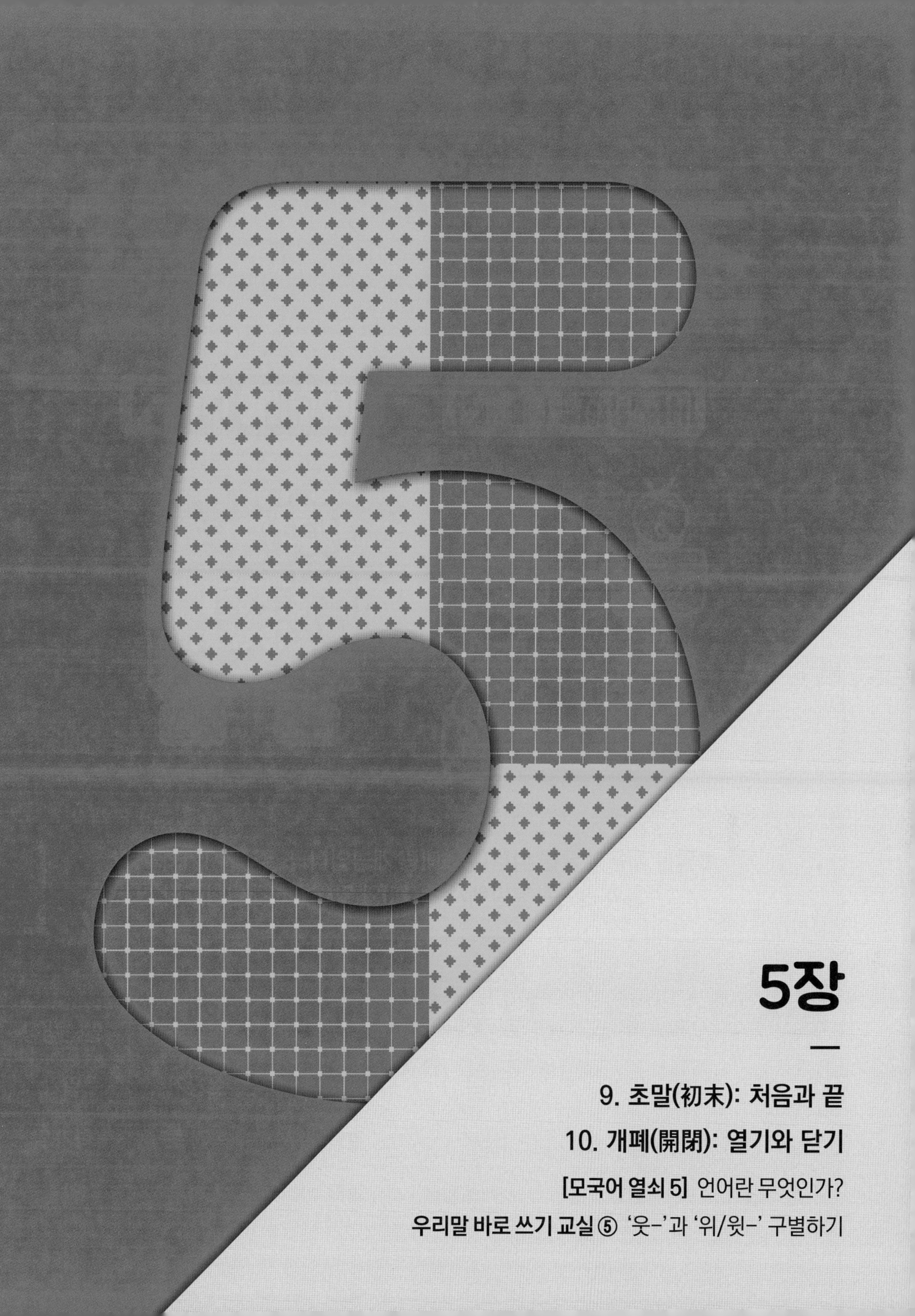

5장

—

9. 초말(初末): 처음과 끝

10. 개폐(開閉): 열기와 닫기

[모국어 열쇠 5] 언어란 무엇인가?

우리말 바로 쓰기 교실 ⑤ '웃-'과 '위/윗-' 구별하기

초말은 처음과 끝을 나타내는 대립 개념입니다. 주로 시기와 기간, 연월과 관련된 낱말에서 **초(初)**와 **말(末)**이 대립합니다.

초말이 대립하는 표현

초	말
초기	**말**기
초엽	**말**엽
월**초**	월**말**

초	말
연**초**	연**말**
초복	**말**복
태**초**	종**말**

초	말
초년병	**말**년 병장
초창기	**말**기
학기 **초**	학기 **말**
초하루	**말**일

대립 어휘 25

난이도 ✻✻
〈과학〉

초기(初期) : 말기(末期)

정해진 기간이나 일의 처음 시기가 **초**기,
끝나는 시기가 **말**기

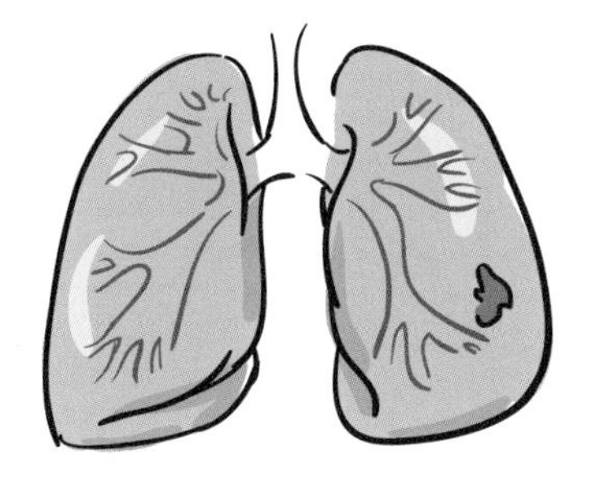

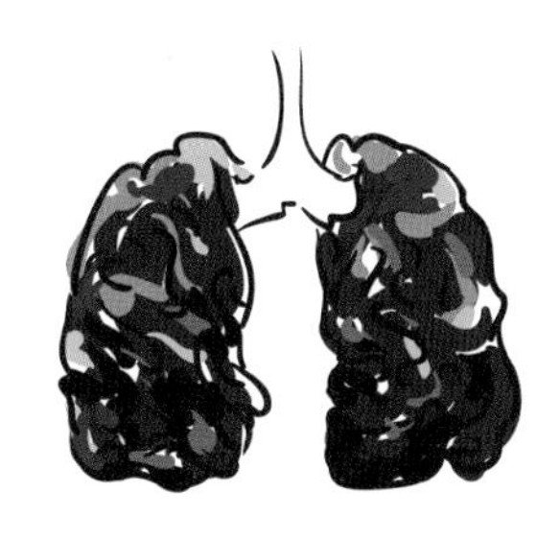

처음이 왜 중요할까?

모든 일에는 시작과 끝이 있습니다. 시작과 끝은 항상 시간과 관련이 됩니다. 시간상으로 처음 또는 앞이 **초기**이고, 끝 또는 뒤가 **말기**입니다. 새로운 학기를 시작하는 3월과 9월이 학기의 초기이고, 여름 방학과 겨울 방학이 시작되기 전이 학기의 말기입니다. 일에서는 시작과 과정 그리고 끝이 모두 중요합니다. 우리가 어느 한 시기라도 게을리하면 목표한 바를 이룰 수 없기 때문입니다. 새로운 일에서는 시작이 더 중요합니다. 우리말에서 "시작이 반이다", "천리 길도 한 걸음부터", "세 살 적 버릇 여든까지 간다"는 시작의 중요성을 강조하는 속담입니다.

사람의 생명을 위협하는 병의 치료는 초기 발견이 무엇보다 중요합니다. 한국인의 사망 원인 중 1위가 바로 암입니다. 지금까지 알려진 암 종류에는 폐암, 위암, 간암, 대장암, 췌장암 등이 있습니다. 과거와 달리 의료 기술의 발달로 암은 이제 더 이상 치료가 불가능한 병이 아닙니다. 초기에 암을 발견하면 쉽게 치료가 가능하지만, 뒤늦게 알게 되면 치료가 매우 어렵습니다. 암은 일반적으로 1기, 2기, 3기, 4기로 분류합니다. 1기가 암 초기이고 4기가 말기입니다. 초기에 발견하면 병을 쉽게 치료할 수 있듯이 좋지 않은 습관도 초기에는 쉽게 바로잡을 수 있습니다. 여러분이 살고 있는 시기는 삶의 초기입니다. 여러분이 삶의 초기 단계에서 고치고 싶은 습관은 무엇인가요?

대립 어휘 표현

초기 환자 : 말기 환자 | **초기 암** : 말기 암

주제 쓰기

핵심 낱말

주제 쓰기

핵심 낱말

대립 어휘 26

난이도 ✻✻✻
〈통합〉

초복(初伏) : 말복(末伏)

여름철 몹시 더운 기간인 '삼복(三伏)' 중에 처음이 **초**복, 마지막이 **말**복

'삼복'은 무슨 뜻일까?

한여름 더위를 '삼복 더위'라고 합니다. 초복, 중복, 말복의 복날 3개가 삼복입니다. 삼복 더위에 쓰인 한자 복(伏)은 '엎드린다'는 뜻입니다. 이것은 하늘에서 서늘한 가을 기운이 내려오다가 더운 여름 기운에 엎드린다는 의미에서 비롯되었다고 합니다. 삼복 중 첫 번째인 초복은 24절기 중에서 하지가 지난 다음 세 번째 경일(庚日)입니다. 경은 '갑, 을, 병, 정, 무, 기, 경, 신, 임, 계' 10개로 구성된 천간의 하나입니다. 2014년이 갑오년, 2015년이 을미년, 2016년은 병신년입니다. 갑오년, 을미년, 병신년 등에서 앞에 쓰인 말이 천간에서, 뒤에 쓰인 말이 지지에서 따온 것입니다. 지지는 자, 축, 인, 묘, 진, 사, 오, 미, 신, 유, 술, 해 12개로 각각 동물을 뜻합니다. 여러분이 태어난 해가 2005년이면 을유년에 태어난 닭띠이고, 2006년이면 병술년에 태어난 개띠입니다.

중복은 초복으로부터 10일이 지난 날입니다. 초복과 중복은 하지를 기준으로 날짜가 정해지지만 **말복**은 입추가 기준입니다. 말복은 입추가 지난 다음 첫 번째 경일입니다. 그래서 초복과 중복은 언제나 10일 간격이지만, 말복은 중복이 지난 후 10일 또는 20일이 되는 경우도 있습니다. 2013년 초복, 중복, 말복은 각각 7월 13일, 7월 23일, 8월 12일이었지만 2014년에는 각각 7월 19일, 7월 28일, 8월 7일이었습니다. 지지에 쓰인 각각의 한자가 뜻하는 동물이 무엇인지 찾아보세요.

대립 어휘 표현

초복 더위 : 말복 더위 | 초복 날씨 : 말복 날씨 | 초복 음식 : 말복 음식

대립 어휘 27

난이도 ✻✻
〈국어〉

초하루(初‥) : 말일(末日)

매월 첫째 날이 **초**하루, 마지막 날이 **말**일

주제 쓰기

초하루와 그믐은 며칠일까?

어른들이 사용하는 말 중에 '정월 초하루, 섣달 그믐, 칠월 초사흘, 시월 초하루, 유월 그믐'은 어떤 날일까요? 고유어로 매달 첫날이 **초하루**, 마지막 날이 그믐입니다. 요즘에는 초하루 대신 1일, 그믐 대신 **말일**이라는 말을 더 많이 사용합니다. 초하루, 초이틀, 초사흘, 그믐 등 고유어는 각각 1일, 2일, 3일, 말일과 같은 뜻입니다. 그렇지만 고유어 초하루, 초이틀, 그믐 등 용어는 음력에 사용하고 1일, 2일, 3일 등은 양력에 사용합니다. 달이 지구를 한 바퀴 도는 시간이 음력으로 한 달입니다. 달이 가장 크게 보이면 보름달, 보름을 지나서 달이 작아지면 하현달, 하현달에서 달이 더 작아지면 그믐달입니다. 초승달과 상현달은 각각 그믐달과 하현달과 대립합니다.

고유어에서 기간을 나타내는 말은 하루, 이틀, 사흘, 나흘, 닷새, 엿새, 이레, 여드레, 아흐레, 열흘입니다. 우리가 일반적으로 양력을 사용하지만 음력이 사라지지는 않을 것입니다. 우리 민족의 가장 큰 명절인 추석, 설이 음력을 기준으로 하고 있기 때문입니다. 국제화 사회가 되어서 외국 문화가 들어오더라도 우리 고유의 전통과 문화는 지켜 나가야 합니다. 오히려 한국의 특색을 가장 많이 지닌 문화가 세계에서 주목을 받는 경우가 더 많습니다. 세계의 주목을 받고 있는 케이팝(K-Pop), 한국의 전통 음식, 한국인의 정서를 주제로 한 드라마 등이 글로벌 경쟁력을 가진 한류의 중심입니다. 여러분은 우리 고유 문화 중에서 어떤 것을 찾아내서 한류의 중심으로 만들고 싶은가요?

핵심 낱말

대립 어휘 표현

정월 초하루 : 정월 말일 | **매달 초하루 :** 매달 말일

같은 소리 다른 한자

다음 한자를 익히고 예문의 빈칸을 채워 봅시다.

정답 p.235

초(草) : 풀

초목 (草木) – 풀과 나무.
초식 동물 (草食動物) – 식물을 먹고 사는 동물.
초원 (草原) – 풀이 나 있는 들판.
초가 (草家) – 볏짚이나 갈대 등으로 지붕을 씌운 집.
약초 (藥草) – 산이나 밭에서 나는 약이 되는 풀.
감초 (甘草) – 한약의 중요한 재료로 뿌리가 단 풀 또는 그 뿌리.

① 심마니는 산에서 산삼 등 진귀한 ________를 캐는 사람이다.

② 그 사람은 약방에 ________처럼 어느 일에나 끼어 든다.

③ 메말랐던 땅에 단비가 내리자 ________들이 무성하게 자라나기 시작했다.

④ 산불에 바람까지 강하게 불어 근처 기슭에 있는 ________집들이 모두 타버렸다.

⑤ 아프리카 사하라 사막 남쪽에는 '사바나'라고 불리는 ________ 지대가 있다.

⑥ ________________은 풀만 먹고, 잡식 동물은 무엇이든 먹는다.

말(抹) : 지우다

말소 (抹消) – 이름, 문서, 글 등을 지워서 없애 버림. (= 지움)
말살 (抹殺) – 사물, 민족, 인종 등을 죽여서 없애 버림. (예. 민족 말살 정책)
일말 (一抹) – 마음이나 감정이 조금 남아 있음. (예. 일말의 후회)

⑦ 히틀러는 유태인을 ________ 하려고 무자비하게 학살했다.

⑧ 시간이 지나면 징계나 범죄 기록이 ________ 된다.

⑨ 사람들이 ________의 기대를 가지고 모였지만 결과는 변하지 않았다.

기본 문제

정답 p.235

1 **소리가 같은 한자 '초'(初, 草)에서 만들어진 어휘들입니다. 뜻이 같은 한자에서 만들어진 어휘들끼리 묶어서 써 보세요.**

초목 | 초기 | 초원 | 초년 | 초하루 | 초식 동물 | 초가 | 초복 | 약초 | 연초 | 감초

㉠ 처음 **초(初):**

㉡ 풀 **초(草):**

2 **소리가 같은 한자 '말'(末, 抹)에서 만들어진 어휘들입니다. 뜻이 같은 한자에서 만들어진 어휘들끼리 묶어서 써 보세요.**

말기 | 말년 | 말소 | 연말 | 말일 | 말살 | 말복 | 일말

㉠ 끝 **말(末):**

㉡ 지우다 **말(抹):**

3 **다음 어휘가 들어간 간단한 문장을 써 보세요.**

연초:

말기:

초식 동물:

개폐는 열고 닫음을 나타내는 대립 개념입니다.
주로 사업과 행사 관련 낱말 또는 국가 정책, 사회 특성, 개인 성향과 관련된 낱말에서 **개(開)**와 **폐(閉)**가 대립합니다.

개폐가 대립하는 표현

개	폐
개업	**폐**업
개장	**폐**장
개막식	**폐**막식

개	폐
개모음(開母音)	**폐**모음(閉母音)
개회 선언	**폐**회 선언
개방 사회	**폐**쇄 사회

개	폐
개방	**폐**쇄
개교	**폐**교
개방 정책	**폐**쇄 정책
개강	**폐**강

대립 어휘 28

난이도 ✻✻
〈사회〉

개방(開放) : 폐쇄(閉鎖)

자유롭게 드나들도록 하는 것이 **개**방,
드나들지 못하도록 막는 것이 **폐**쇄

개방과 폐쇄 중에서 어느 것을 선택할까?

개방은 여는 것, **폐쇄**는 닫는 것입니다. 개방과 폐쇄는 개인과 국가에 공통으로 적용됩니다. 다른 사람과 소통하지 않고 혼자서 삶을 영위하는 닫힌 사람과 적극적으로 주변 사람들과 의사를 주고받으며 살아가는 열린 사람이 있습니다. 개방 정책을 펴는 국가는 외국과 활발하게 교류하며 새로운 문물을 받아들이지만, 폐쇄 정책을 펴는 국가는 외국과 교류하지 않고 자국의 문화와 전통만을 고수합니다. 개방과 폐쇄는 각각 개인이나 국가에 긍정적으로도 부정적으로도 작용합니다. 일반적으로 적극적으로 개방을 추구하는 개인과 국가가 문화, 경제, 사회적으로 더 풍요로운 삶을 영위합니다.

19세기에 조선은 고유 문화와 전통을 보존하기 위해서 외국에 문호를 개방하지 않았습니다. 철저한 폐쇄 정책을 고수함으로써 조선은 국제적 흐름에 동참하지 못하고 고립될 수밖에 없었고 급기야 일본의 침략을 받아서 주권을 빼앗기게 되었습니다. 이에 비해 대한민국은 조선의 역사를 반복하지 않고 적극적으로 외국에 문호를 개방하는 정책을 추진했습니다. 한국 전쟁 이후 지금까지도 폐쇄 정책을 취하고 있는 북한과 대한민국은 대조를 이룹니다. 개방 정책을 편 결과 1976년부터는 대한민국이 일인당 국민소득이 북한을 앞지르기 시작했습니다. 대한민국의 개방 정책이 경제 발전에 큰 도움이 되었습니다. 지나간 역사는 되돌릴 수 없습니다. 여러분의 삶에서도 과거는 되돌리지 못합니다. 여러분이 다른 사람과 적극적으로 소통할지 아니면 자신만의 세계에 머무를지는 여러분의 선택입니다. 선택한 결과는 여러분 책임입니다. 여러분은 개방과 폐쇄 중에서 어느 쪽을 선택할 건가요?

*척화비 : 흥선 대원군이 서양 세력의 침략을 경계하여 서울과 지방 각지에 세운 비

대립 어휘 표현

개방 정책 : 폐쇄 정책 | 개방적 성격 : 폐쇄적 성격 | 무역 개방 : 무역 폐쇄

주제 쓰기

핵심 낱말

주제 쓰기

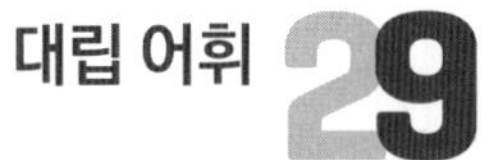

대립 어휘 29

난이도 **
〈국어〉

개장(開場) : 폐장(閉場)

사람들이 이용할 수 있도록 문을 여는 것이 **개**장, 문을 닫는 것이 **폐**장

핵심 낱말

개폐와 함께 쓰는 낱말은?

개장은 '장소를 연다'는 뜻이고, **폐장**은 '장소를 닫는다'는 의미입니다. 여름이 다가오면 해수욕장을 개장하고 겨울에는 스키장을 개장합니다. 해수욕장, 스키장처럼 어떤 장소를 사람들에게 열거나 닫는 것이 개장과 폐장입니다. 음식점이나 사업을 새로 시작함이 개업, 닫음이 폐업입니다. 개업할 때는 사람들에게 널리 알리기 위해서 개업식 행사를 합니다. 하지만 사업이 안되어서 문을 닫을 때는 행사를 하지 않습니다. 그래서 우리말에 '*폐업식'이라는 말이 없습니다.

올림픽 대회, 월드컵 대회, 아시안게임 등 큰 행사에서는 개막식과 폐막식이 열립니다. 국제 행사에서 개막식과 폐막식은 실제 경기 못지 않게 중요합니다. 개최국은 개막식과 폐막식에서 행사 프로그램에 주로 자국의 문화와 특징을 넣어서 세계에 알립니다. 이처럼 개폐는 다양한 낱말과 결합하여 열고 닫음을 표현합니다. 주변에서 개와 폐가 쓰여서 시작과 끝을 표현하는 낱말이 또 있는지 찾아보세요.

대립 어휘 표현

스키장 개장 : 스키장 폐장 | **개장 행사 :** 폐장 행사

대립 어휘 30

개교(開校) : 폐교(閉校)

난이도 ✻✻
〈통합〉

학교를 새로 지어서 학생을 받으면 **개**교,
학생이 많지 않아서 학교를 닫으면 **폐**교

주제 쓰기

핵심 낱말

왜 시골에 있던 학교가 없어질까?

1970년대 이후 우리나라에서 산업화가 시작되면서 사람들이 농촌, 어촌, 산촌과 같은 시골에서 일자리를 찾아 도시로 이동했습니다. 사람들이 도시로 몰려드는 바람에 도시에 인구가 집중되었고 시골에는 거주하는 사람이 점점 줄어들게 되었습니다. 이와 같이 대도시로 인구가 집중하는 현상은 산업이 발달하면서 전 세계에서 일어났습니다. 현대 사회에서는 농업, 임업, 어업과 같은 1차 산업보다 제조, 건축 등의 2차 산업과 서비스를 중심으로 하는 3차 산업이 더 발달했습니다. 2차 산업과 3차 산업의 일자리는 대부분 도시에 집중되어 있습니다. 그래서 사람들이 자꾸만 도시로 몰려듭니다.

도시에 인구가 집중되면서 도시 지역에는 더 많은 학교가 필요하게 되었고, 시골에 있던 학교는 학생이 줄어들어 사라지게 되었습니다. 학교를 새로 지어서 학생을 받으면 **개교**이고, 학생이 줄어들어서 학교를 닫으면 **폐교**입니다. 학생이 줄어들면 무조건 폐교를 해야 할까요? 시골에 살고 있는 학생들도 가까운 학교에 다닐 수 있어야 공평하지요. 그래서 최근에 시골에 있는 작은 학교를 살리기 위해서 많은 노력을 기울이고 있습니다. 여러분은 도시에 있는 학교가 더 좋은가요, 아니면 시골에 있는 작은 학교가 더 좋은가요? 그 이유는 무엇인가요?

대립 어휘 표현

초등학교 개교 : 초등학교 폐교 | 개교 예정 : 폐교 예정

같은 소리 다른 한자

다음 한자를 익히고 예문의 빈칸을 채워 봅시다.

정답 p.235

개(個) : 낱

개인 (個人) – 국가, 사회를 구성하는 사람.
개별 (個別) – 여럿 중에서 하나씩 따로.
개체 (個體) – 독립적 기능을 하는 하나의 생물체나 단위.
개월 (個月) – 달 수를 세거나 나타내는 단위.
개성 (個性) – 사람이 고유하게 지닌 성격이나 특징.

① 이곳은 위험한 지역이니 ________ 행동을 하지 마세요.

② 한강에 서식하는 생물 ________ 수는 얼마나 될까?

③ 이것은 제 ________ 문제이니 제가 스스로 해결하겠습니다.

④ 사람마다 각자의 ________이 있다.

⑤ 사람은 10________ 동안 엄마 뱃속에서 자라고 세상에 태어난다.

폐(弊) : 폐단

폐해 (弊害) – 나쁘고 해로운 일.
황폐 (荒弊) – 초원, 삼림, 토지가 메말라 못 쓰게 됨.
민폐 (民弊) – 사람들에게 끼치는 폐해.
폐단 (弊端) – 옳지 못한 일로 남에게 피해가 되는 일.

⑥ 지나친 벌목으로 인해 산이 점점 ________되었다.

⑦ 그들이 이재민을 돕기 위해 왔지만 오히려 ________만 잔뜩 끼치고 갔다.

⑧ 폭력 만화와 영화가 청소년에게 미치는 ________가 심각하다.

⑨ 세습 정치의 ________으로 국민들의 생활이 말이 아니었다.

기본 문제

정답 p.235

1 **소리가 같은 한자 '개'(開, 個)에서 만들어진 어휘들입니다. 뜻이 같은 한자에서 만들어진 어휘들끼리 묶어서 써 보세요.**

개인 | 개장 | 개체 | 개막식 | 개방 | 개별

㉠ 열다 **개(開):**

㉡ 낱 **개(個):**

2 **소리가 같은 한자 '폐'(閉, 弊)에서 만들어진 어휘들입니다. 뜻이 같은 한자에서 만들어진 어휘들끼리 묶어서 서 보세요.**

폐막식 | 폐쇄 | 폐해 | 민폐 | 폐장 | 황폐

㉠ 닫다 **폐(閉):**

㉡ 폐단 **폐(弊):**

3 **다음 어휘가 들어간 간단한 문장을 써 보세요.**

개방:

개인:

황폐:

언어란 무엇인가?

정답 p.235

언어와 사고

우리는 물과 공기의 중요성을 잘 모르고 살고 있습니다. 물과 공기는 늘 그 자리에 있고, 당연히 있어야 한다고 생각하기 때문입니다. 물과 공기는 우리가 주체적으로 사용하는 대상이 아닙니다. 그러나 언어는 인간이 주체가 되어 사용하는 수단입니다. 인간이 언어를 배워서 사용하고, 인간에 의해 언어가 바뀔 수 있습니다.

언어에는 세상의 모든 것이 담겨 있습니다. 세상에 존재하는 모든 사물과 모든 생각이 언어로 표현됩니다. 인간은 사고를 통해 현실에 존재하지 않는 추상적 개념을 생각해 내는 능력을 지니고 있습니다. 사고해서 만들어 낸 추상적 개념도 언어로 표현되지 않으면 쓸모가 없습니다. 언어로 표현되지 않은 개념은 인간의 사고 영역에 포함되지 않습니다. 인간의 사고는 언어에서 출발합니다. 인간이 언어 없이 사고할 수 있을까요?

언어의 본질

언어란 "음성을 통하여 상대방과 의사 전달을 하는 수단"입니다. 우리는 어떠한 과정을 거쳐서 상대방에게 의사를 전달할까요? 우리 뇌에는 '나무, 학교, -에서, 심었다' 등 소리와 개념이 결합된 어휘와 이 어휘들을 결합하는 문법 규칙이 저장되어 있습니다. 우리는 저장된 어휘를 문법 규칙에 맞게 조합하여 말로 상대방에게 의사를 전달합니다. 그러면 상대방이 이 말을 듣고 자기 뇌에 저장된 어휘와 문법 규칙을 이용하여 해석합니다. 이 과정이 언어 활동입니다.

인간의 의사소통 과정

언어의 특성

창조성

우리는 지금까지 세상에 존재하지 않았던 다음과 같은 말을 할 수 있습니다. 세상에 누가 이와 같은 말을 했을까요?

"어제 새벽에 참새가 두꺼비를 먹고 배탈이 나서 동네 병원에서 수술을 받았는데, 두꺼비가 개구리로 변했다는군."

"앞집 강아지가 새끼를 낳았는데 호랑이 12마리하고 곰 세 마리가 나왔어."

인간은 이렇게 새로운 문장을 무한히 생성하는 능력이 있습니다. 이것이 언어의 창조성입니다. 인간은 한 번도 들은 적도, 본 적도 없는 새로운 문장을 만들어 낼 수 있습니다. 말을 한다는 사실만으로 인간은 이미 창조적입니다. 창조성은 언어의 핵심적 특성입니다. 아무리 똑똑한 동물이라도 사람처럼 새로운 문장을 만들지 못합니다.

'나무'를 '바람'이라고 해도 될까?

우리가 사용하는 낱말의 뜻과 소리는 동전의 양면처럼 서로 분리할 수 없습니다. 우리말에서 '나무'는 '뿌리, 줄기, 가지, 잎을 가진 식물'입니다. 여러분이 '나무'를 '바람'이라고 하면 사람들이 바보라고 합니다. 왜 그럴까요? 낱말의 뜻과 소리는 서로 뗄 수 없기 때문입니다.

그러나 만약 처음부터 '나무'를 '바람'이라고 했다면, 우리는 지금 '나무'를 '바람'이라고 해야 합니다. 사람들이 우리말을 처음 사용할 때 나무를 '나무'라고 정했을 뿐입니다. 이렇게 어떤 개념에 반드시 정해진 소리가 결합하지 않고, 사람들이 마음대로 소리를 부여하는 특성이 언어의 '자의성'입니다. 언어의 자의성(恣意性)은 '마음대로 뜻과 소리를 결합함'을 뜻합니다. 우리말의 '나무'는 영어로는 'tree', 독일어로는 'Baum', 핀란드어로는 'puu'입니다. 언어마다 같은 뜻에 다른 소리가 결합하는 것은 언어의 자의성 때문에 가능합니다.

사회성

사람들이 마음대로 낱말의 뜻과 소리를 결합하지만 일단 정해지면 그 관계가 바뀌지 않습니다. 언어는 그 말을 사용하는 사람들이 합의해서 만들어낸 체계입니다. 그래서 개인이 그 체계를 바꿀 수 없습니다. 낱말의 뜻과 소리는 자의적이지만 일단 결합하고 나면 모든 사람이 그대로 사용해야 합니다. 이것이 언어의 사회성입니다. 나무를 바람이라고 할 수 없는 이유입니다. 언어는 모든 사람이 합의한 의사소통 체계라서 사회 구성원이 원하면 다시 합의를 해서 뜻과 소리의 결합을 바꿀 가능성이 열려 있습니다. 예전에는 '초등학교'를 '국민학교'라고 했습니다. 국민학교는 일본 제국주의 시대에 쓰인 용어입니다. 그래서 1996년부터 국민학교를 초등학교로 바꾸었습니다. 바로 언어가 사회성을 지니고 있기 때문입니다.

모국어 열쇠 활용 문제

우리말에서 외래어나 한자어를 고유어로 바꾸려는 노력이 계속되고 있습니다. '사이버 공간에서 활동하는 사람'을 뜻하는 외래어 '네티즌'을 '누리꾼', 한자어 '신입생'을 '새내기'로 바꾸어 사용하고 있습니다. 다음 외래어와 한자어를 고유어로 바꾸어 보세요.

네티즌	누리꾼	신입생	새내기
서클		오뎅	
자음		스크린도어	
모음		리플	

심화 문제

정답 p.235

1 **다음 표에 대립하는 한자어로 빈칸을 완성해 봅시다.**

초기	
말엽	
월말	
학기 초	
초복	

폐장	
개교	
개회 선언	
폐업	
개방 정책	

2 **다음 문장에 알맞은 단어를 골라서 동그라미를 그려 봅시다.**

㉠ 어린이 놀이공원이 안전 문제로 곧 **(폐지 / 폐쇄)**될 예정이래요.

㉡ 영국 프로축구는 매년 8월에 **(개막 / 개장)**전을 치르지요.

㉢ 연말이 되면 **(연초 / 초년)**에 세웠던 각오가 잊혀지기 일쑤입니다.

㉣ 고려 **(말년 / 말엽)**에 왜구들이 자주 출몰하여 나라에서 대책을 세워야 했어요.

㉤ 마지막 날 저녁 식사는 **(개인 / 개별)**이 알아서 해결하래요.

㉥ 그 팀의 4번 타자가 부상을 당해서 1군에서 등록이 **(말소 / 말살)** 되었어요.

우리말 바로 쓰기 교실 ⑤

‘웃-’과 ‘위/윗-’ 구별하기

정답 p.235

〈‘위쪽’을 의미하는 ‘윗-/위-’와 ‘웃’〉

1. 위쪽을 나타낼 때는 ‘윗-’으로 씁니다.
   (예: 윗눈썹, 윗목, 윗변, 윗잇몸)
2. 그러나 ‘아래, 위’ 대립이 없는 단어는 ‘웃-’을 씁니다.
   (예: 웃옷, 웃통)
3. 된소리나 거센소리 앞에서는 ‘윗’이 아니고, ‘위’를 씁니다.
   (예: 위짝(O) 윗짝(X), 위턱(O) 윗턱(X))

다음 맞춤법에 맞는 것에 ○표 하고 빈칸에 써 보세요.

1	웃도리	윗도리	
2	윗층	위층	
3	웃어른	윗어른	
4	위치마	윗치마	
5	웃머리	윗머리	
6	웃통	위통	
7	웃입술	윗입술	
8	웃돈	윗돈	
9	웃넓이	윗넓이	
10	위쪽	윗쪽	

학습할 내용

11. 진퇴(進退): 나아감과 물러감

대립 어휘 31. 전진(前進) : 후퇴(後退)
대립 어휘 32. 진보(進步) : 퇴보(退步)
대립 어휘 33. 진화(進化) : 퇴화(退化)

같은 소리 다른 한자

진(盡) "다하다"
탈진(脫盡) / 매진(賣盡) / 극진(極盡) / 탕진(蕩盡) / 무궁무진(無窮無盡)

퇴(堆) "쌓다"
퇴적(堆積) / 퇴비(堆肥)

12. 근원(近遠): 가까움과 멂

대립 어휘 34. 근적외선(近赤外線) : 원적외선(遠赤外線)
대립 어휘 35. 근시(近視) : 원시(遠視)
대립 어휘 36. 근해(近海) : 원양(遠洋)

같은 소리 다른 한자

근(勤) "부지런하다"
개근상(皆勤賞) / 근면(勤勉) / 근로자(勤勞者) / 근무(勤務)

원(院) "집"
학원(學院) / 병원(病院) / 법원(法院) / 사원(寺院) / 원장(院長)

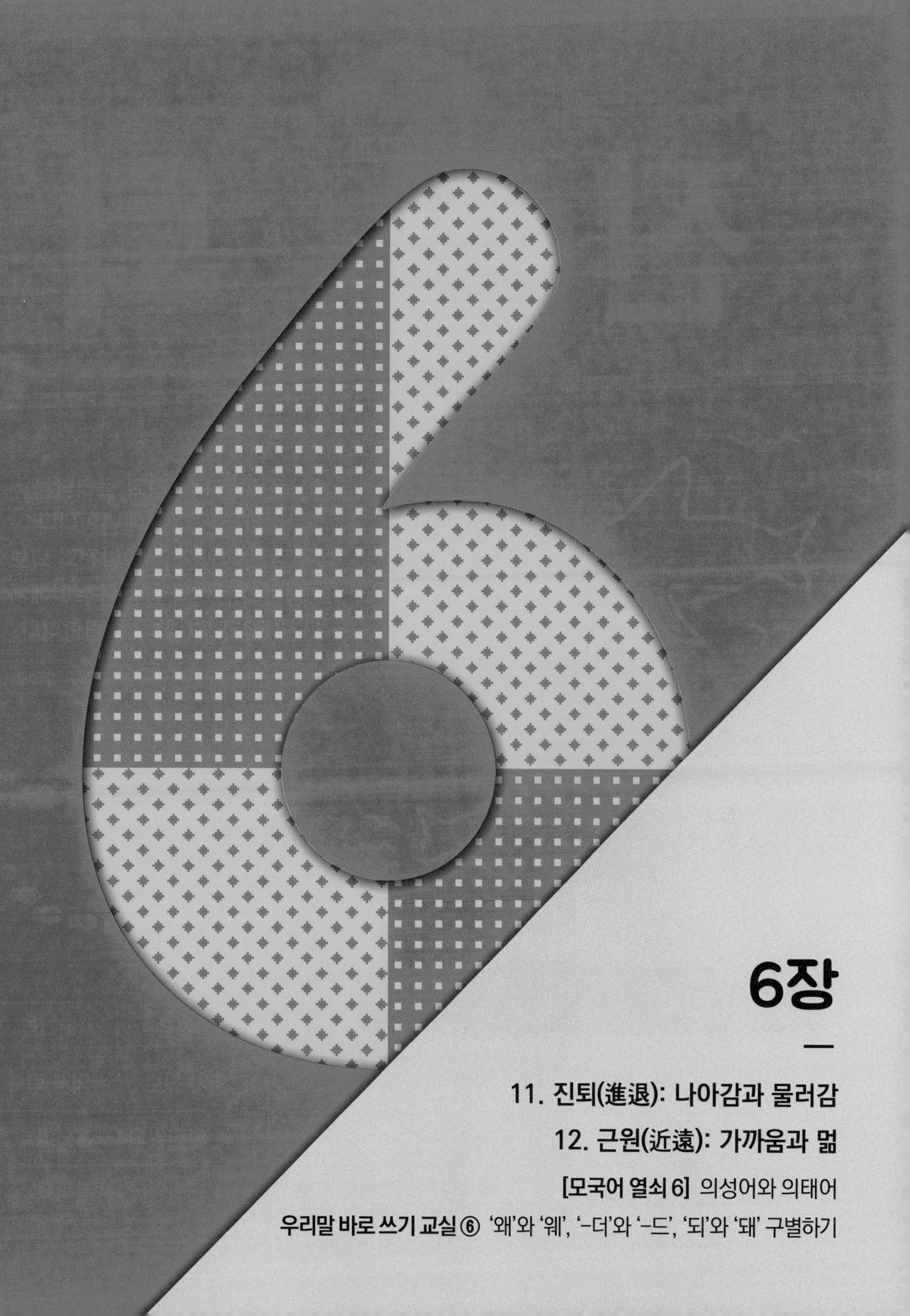

6장

11. 진퇴(進退): 나아감과 물러감

12. 근원(近遠): 가까움과 멂

[모국어 열쇠 6] 의성어와 의태어

우리말 바로 쓰기 교실 ⑥ '왜'와 '웨', '-더'와 '-드', '되'와 '돼' 구별하기

11

나아감과 물러남

진 進 退 퇴

진퇴는 나아감과 물러남을
나타내는 대립 개념입니다.
주로 단체와 개인의 발전과 퇴보,
생물의 진화와 관련된 낱말에서
진(進)과 **퇴(退)**가 대립합니다.

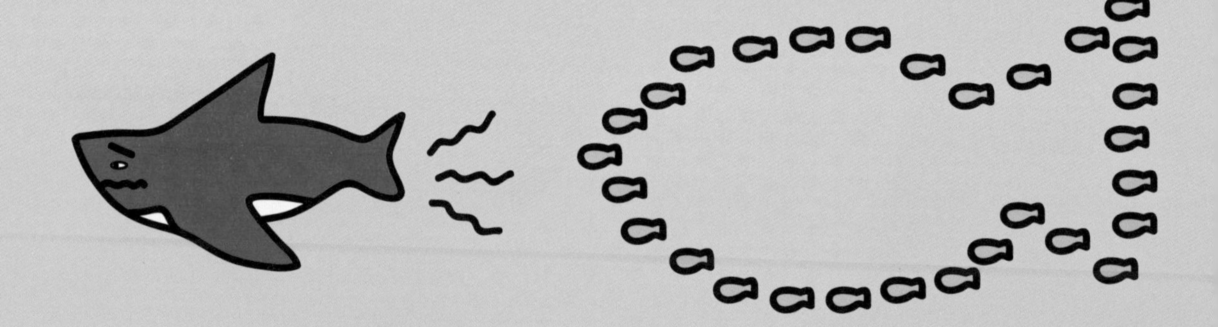

진퇴가 대립하는 표현

진	퇴
전**진**	후**퇴**
진군	**퇴**각
진보	**퇴**보

진	퇴
진화	**퇴**화
진학	**퇴**학
일보 전**진**	일보 후**퇴**

진	퇴
진입로	**퇴**각로
역사 **진**보	역사 **퇴**보
일**진**일**퇴** (一**進**一**退**)	
진퇴양난 (**進退**兩難)	

대립 어휘 31

전진(前進) : 후퇴(後退)

난이도 *
〈국어〉

앞으로 나아가는 것이 전**진**,
뒤로 물러나는 것이 후**퇴**

주제 쓰기

전진과 향상은 무엇이 다를까?

앞으로 나아가는 것이 **전진**이고 뒤로 물러서는 것이 **후퇴**입니다. 전진과 후퇴는 실제 행동을 표현합니다. 이를테면 전쟁에서 적을 무찌르면서 나아가면 전진이고, 적에게 패배하여 물러서면 후퇴입니다. 전쟁에서 사방이 적으로 포위되어 앞으로 나아가지도 못하고 뒤로 물러서지도 못할 때 진퇴양난이라고 합니다. 진퇴양난은 전진도 후퇴도 모두 어렵다는 뜻입니다. 사면초가도 비슷한 뜻을 가진 고사성어입니다. 한나라와 초나라의 전쟁에서 한나라 군대가 초나라 군대를 사방에서 포위하고 초나라의 노래를 불렀습니다. 초나라 군사들은 사방이 포위되어 있는 불리한 상황에서 고향의 노래까지 들려오니 싸울 힘을 잃고 고향 생각을 하게 되었습니다. 사면초가는 어느 방향으로도 나아갈 수 없는 어려운 처지를 이르는 말입니다. 우리말에는 '막다른 골목'이라는 표현이 있습니다.

전진과 후퇴는 행동을 표현하고 능력이나 상황을 표현할 때에는 전진과 후퇴 대신 향상과 저하가 사용됩니다. 학생들의 학력이나 연구자의 능력이 나아진 것은 향상, 떨어진 것은 저하라고 합니다. *학력 전진, *학력 후퇴라는 말은 사용하지 않습니다. 향상은 위로 향한다는 뜻이고, 저하는 아래로 떨어진다는 뜻입니다. 여러분의 모국어 능력은 점점 향상되고 있는지요?

핵심 낱말

대립 어휘 표현

일보 전진 : 일보 후퇴 | **군대 전진** : 군대 후퇴

주제 쓰기

핵심 낱말

대립 어휘 32

난이도 ✻✻✻
〈사회〉

진보(進步) : 퇴보(退步)

정도나 수준이 나아지거나 높아지는 것이 **진**보, 떨어지는 것이 **퇴**보

새 역사는 미래와 끊임없는 대화로

진보는 한 걸음씩 앞으로 나아감을, **퇴보**는 한 걸음씩 뒷걸음질 침을 뜻합니다. 한 국가가 진보하기 위해서는 끊임없이 과거의 역사를 살펴서 현재를 이해하고 발전시켜야 합니다. 그렇지 않으면 역사는 퇴보하게 됩니다. 어떤 학자는 역사를 '현재와 과거의 끊임없는 대화'라고 했습니다. 우리가 역사를 배워야 하는 이유입니다. 모든 국가에는 과거에 수많은 사건과 사실이 있었습니다. 역사는 역사가가 그 사건과 사실 중에서 선택한 것입니다. 조선 시대에 동인, 서인, 남인, 북인으로 나뉘어 싸웠던 사실도 있고, 임진왜란 때 평범한 백성들이 의병이 되어 적을 무찌른 사실도 있습니다. 역사가는 이 중에서 어떤 것을 선택하여 후손들에게 가르칠까를 고민하고 선택합니다.

우리가 발전하기 위해서는 과거와의 대화도 중요하지만 '미래와 끊임없는 대화'를 해야 합니다. 그 대화를 통해서 우리는 다가올 미래를 예측하고, 그것에 대비할 수 있습니다. 여러분이 역사학자가 된다면 21세기 대한민국 역사에서 어떤 사실을 선택하여 다음 세대에게 가르쳐 주고 싶은가요? 대한민국 역사가 진보할지 퇴보할지는 바로 여러분의 몫입니다.

대립 어휘 표현

역사 진보 : 역사 퇴보 | **기술 진보** : 기술 퇴보 | **능력의 진보** : 능력의 퇴보

대립 어휘 33

난이도 ✻✻✻
〈과학〉

진화(進化) : 퇴화(退化)

시간이 지남에 따라 점점 발달해 나감이 **진**화, 나빠짐이 **퇴**화

주제 쓰기

동물은 약육강식, 인간은 함께 더불어

진화는 점점 발달하여 나아감이고 **퇴화**는 거꾸로 되돌아가거나 나빠짐을 뜻합니다. 생물체는 환경과 변화에 적응하면서 살아갑니다. 변화하는 환경에 적응하는 생물체가 살아남고 적응하지 못하는 생물체는 도태된다는 의미가 적자생존입니다. 여기에 쓰인 적자(適者)는 '적합한 자 또는 적응하는 자'입니다.

생물체에서 비롯된 '적자생존'이 최근에 경제에서도 사용됩니다. 변화에 적극적으로 대처하지 못하면 개인, 회사, 국가가 경제적으로 어려움에 처하게 됩니다. 이러한 현상을 더 심하게 표현하는 말이 약육강식입니다. 약육강식은 약자가 고기가 되어 강자의 먹이가 된다는 의미입니다. 자연 상태의 동물 세계에서는 약한 동물이 강한 동물의 먹이가 됩니다. 동물 세계에서 일어나는 약육강식이 인간 세계에 똑같이 적용되지 않습니다. 인간 세계에서는 약한 사람이 강한 사람의 먹이가 아닙니다. 인간은 강한 자와 약한 자가 더불어 살아가야 합니다. 그래서 인간이 동물보다 위대한 것입니다. 여러분은 변화하는 환경에 잘 적응하지 못하는 친구에게 어떻게 대하고 있나요?

핵심 낱말

대립 어휘 표현

생물 진화 : 생물 퇴화 | 시각 기관 진화 : 시각 기관 퇴화

같은 소리 다른 한자

다음 한자를 익히고 예문의 빈칸을 채워 봅시다.

정답 p.235

진(盡) : 다하다

탈진 (脫盡) – 기력이 다 빠져 없어짐.
매진 (賣盡) – 물건이 하나도 남지 않고 다 팔림.
극진 (極盡) – 힘이나 마음을 다함.
탕진 (蕩盡) – 재물, 시간, 힘을 모두 다 써 버림.
무궁무진 (無窮無盡) – 한도 없고 끝도 없을 정도로 많음.

① 그는 도박에 빠져 1년 만에 전 재산을 ________했다.

② 제가 정성을 다해 ________히 모시겠습니다.

③ 그는 하루 종일 쉬지도 않고 걸어서 마침내 ________했다.

④ 토요일 밤에 상영하는 영화 표를 사려고 했더니 전 좌석이 ________되었다.

⑤ 그는 경험이 많아서 아이들에게 들려줄 이야기가 ________________했다.

퇴(堆) : 쌓다

퇴적 (堆積) – 하나씩 겹겹이 쌓임.
퇴비 (堆肥) – 풀, 짚 또는 가축의 배설물 등으로 만든 거름.

⑥ 하천에 오염 물질이 ________되면 냄새가 나고 녹조가 생긴다.

⑦ 우리 텃밭에 ________를 주고 왔다.

기본 문제

정답 p.235

1

소리가 같은 한자 '진'(進, 盡)에서 만들어진 어휘들입니다. 뜻이 같은 한자에서 만들어진 어휘들끼리 묶어서 써 보세요.

진화 | 진군 | 탈진 | 탕진 | 승진 | 극진 | 진보

㉠ 나아가다 **진(進):**

㉡ 다하다 **진(盡):**

2

소리가 같은 한자 '퇴'(退, 堆)에서 만들어진 어휘들입니다. 뜻이 같은 한자에서 만들어진 어휘들끼리 묶어서 써 보세요.

후퇴 | 퇴화 | 퇴비 | 퇴적 | 퇴진 | 퇴보

㉠ 물러나다 **퇴(退):**

㉡ 퇴비/쌓다 **퇴**(堆):

3

다음 어휘가 들어간 간단한 문장을 써 보세요.

진화:

후퇴:

탈진:

12 가까움과 멂

근 近 遠 원

근원은 가까운 것과 먼 것을 나타내는 대립 개념입니다.
주로 거리, 친근함, 시력과 관련된 어휘에서 **근(近)**과 **원(遠)**이 대립합니다.

근원이 대립하는 표현

근	원
근시	**원**시
근거리	**원**거리
친**근**(親近)	소**원**(疏遠)

근	원
근해	**원**양
근적외선	**원**적외선
근접 공격	**원**거리 공격

근	원
근경(近景)	**원**경(遠景)
근교 농업	**원**교 농업

원근 화법 (遠近 畫法)

불가**근**불가**원** (不可近不可遠)

대립 어휘 34

난이도 ***
〈과학〉

근적외선 : 원적외선
(近赤外線) (遠赤外線)

적외선에 가까운 선이 **근**적외선,
조금 더 먼 선이 **원**적외선

주제 쓰기

무지개에는 7가지 색깔만 있을까?

색깔은 빛이 반사되어 우리 눈에 보이는 현상입니다. 그래서 빛이 없는 깜깜한 밤에는 색깔이 구별되지 않습니다. 비가 온 후에 햇빛이 비치면 아름다운 무지개가 나타납니다. 무지개에는 7가지 색깔, 즉 빨강, 주황, 노랑, 초록, 파랑, 남색, 보라색만 있을까요? 무지개에는 7가지 색이 아니라, 무한 수의 색이 들어 있습니다. 인간은 200여 가지로 색깔을 구별하는데 그 모든 색이 무지개에 포함되어 있습니다.

색깔은 파장의 길이로 구별됩니다. 무지개 색깔 중에서 빨강색의 파장이 가장 길고, 보라색의 파장이 가장 짧습니다. 빨강색보다 파장이 더 긴 색이 적외선이고, 보라색보다 파장이 더 짧은 색이 자외선입니다. 적외선(赤外線)은 '빨강보다 파장이 긴 외부의 색', 자외선(紫外線)은 '보라보다 파장이 짧은 외부의 색'이라는 뜻입니다. 이렇게 적외선과 자외선은 빛의 파장 길이로 대립하는 색깔입니다. **근적외선**은 빨강에 가까운 파장, **원적외선**은 빨강보다 훨씬 긴 파장의 색깔인데 인간은 이 색깔을 볼 수 없습니다. 그래서 자외선과 적외선에는 색깔을 뜻하는 '-색' 대신 빛을 뜻하는 '-선'이 쓰입니다. 사람은 반사된 빛 중에서 빨강부터 보라까지만 볼 수 있습니다. 빨강보다 파장이 길거나 보라보다 파장이 짧은 색은 반사가 되어도 인간은 눈으로 인지하지 못합니다. 인간이 색으로 구별이 가능한 범위에 있는 빛의 선을 가시광선(可視光線)이라고 합니다. 가시광선은 '사람 눈으로 볼 수 있는 태양 빛'입니다. 무지개를 그려서 적외선과 자외선이 무지개의 어느 쪽에 있는지 써 넣어 보세요.

핵심 낱말

대립 어휘 표현

근적외선 치료 : 원적외선 치료 | 근적외선 용도 : 원적외선 용도

주제 쓰기

핵심 낱말

대립 어휘 35

난이도 ** 〈통합〉

근시(近視) : 원시(遠視)

먼 것이 잘 보이지 않으면 **근**시,
가까운 것이 잘 보이지 않으면 **원**시

근시 안경과 원시 안경은 무엇이 다를까?

좋지 않은 자세로 책, 텔레비전, 컴퓨터 등을 오랜 시간 보게 되면 시력이 나빠집니다. 물체나 글자를 가까이서 오랫동안 보면 눈이 그 짧은 거리에 익숙해집니다. 이 행동이 반복되면 먼 곳의 물체가 선명하게 보이지 않는 **근시**가 생깁니다. 이와 반대로 **원시**가 있는 사람은 가까운 물체나 글자를 잘 볼 수 없습니다. 원시는 50세를 전후로 눈 근육이 약해지면서 생깁니다.

근시와 원시는 안경을 이용하여 교정될 수 있습니다. 근시 안경에는 오목 렌즈, 원시 안경에는 볼록 렌즈가 쓰입니다. 오목 렌즈는 빛을 수렴해서 물체를 작게, 볼록 렌즈는 빛을 확대하여 물체를 크게 보이도록 하는 원리가 이용됩니다. 요즘에는 과학이 발달하여 근시와 원시가 하나의 안경으로 동시에 교정이 가능합니다. 또한 안경이나 콘텍트 렌즈를 사용하지 않고 눈의 각막을 깎아 내서 근시를 교정하는 기술도 발달했습니다. 이 기술이 라섹과 라식 수술입니다. 이처럼 시력이 나빠져도 이를 교정하는 방법이 많이 발달했습니다. 그렇지만 안경을 끼면 일상생활에서 불편함을 느끼기도 하고 비용도 많이 들어갑니다. 평소에 눈을 잘 관리하여 시력을 보존하는 습관과 자세가 무엇보다 중요합니다. 여러분에게는 눈에 나쁜 영향을 주는 어떤 습관이 있나요?

대립 어휘 표현

근시 안경 : 원시 안경 | 근시 교정 : 원시 교정

대립 어휘 36

근해(近海) : 원양(遠洋)

난이도 ✻✻
〈사회〉

근해는 육지에서 가까운 작은 바다이고
원양은 육지에서 멀리 떨어진 큰 바다

주제 쓰기

북극고래는 왜 북극해에서 살까?

우리나라는 동해, 서해, 남해로 삼면이 바다로 둘러싸인 국가입니다. 일본과 영국 같은 섬나라를 제외하면 우리나라처럼 국토가 바다로 둘러싸인 국가는 많지 않습니다. 국토가 바다에 접한 국가에서는 당연히 어업이 발달합니다. 우리나라도 어업이 발달한 국가에 속합니다. 동해, 서해, 남해는 우리나라 **근해**이고 지역마다 특별히 많이 잡히는 물고기가 있습니다. 동해 오징어, 서해 꽃게와 굴비, 남해 멸치, 제주 갈치 등이 각 지역의 특산품입니다. 최근에는 해수 온도가 변화하여 서해에서 오징어가 동해보다 더 많이 잡히기도 합니다.

해(海)와 양(洋)은 둘 다 바다를 뜻합니다. 일반적으로 해는 동해, 서해, 북해처럼 육지와 인접한 작은 바다, 양은 태평양, 대서양, 인도양처럼 대륙을 연결하는 큰 바다 표현에 쓰입니다. '먼 바다에서 고기를 잡는 일'을 원양 어업이라고 합니다. **원양**은 '멀리 있는 큰 바다'라는 뜻입니다. 근해와 원양에서 잡히는 물고기는 그 종류가 다릅니다. 물고기는 바닷물 온도에 따라서 체온이 변하는 변온 동물입니다. 그래서 물고기는 생존에 가장 적당한 바다에서 서식합니다. 바닷물의 온도가 변하면 물고기도 생존에 적합한 바다로 이동합니다. 북극고래는 다른 고래와 달리 북극 주변의 얼음 밑 바다에서 서식합니다. 북극고래에게는 북극해의 차가운 바닷물이 살기에 적합하기 때문입니다. 열대어는 북극해에 가면 바닷물이 차가워서 생존할 수 없습니다. 열대어는 북극해에서 생존하지 못하는데 왜 열대 지방 사람들은 북극에 가도 생존이 가능할까요?

핵심 낱말

대립 어휘 표현

근해 어업 : 원양 어업 | 근해 어종 : 원양 어종

같은 소리 다른 한자

다음 한자를 익히고 예문의 빈칸을 채워 봅시다.

정답 p.235

근(勤) : 부지런하다

개근상 (皆勤賞) – 하루도 빠짐없이 출석한 사람에게 주는 상.
근면 (勤勉) – 부지런히 일하며 힘씀.
근로자 (勤勞者) – 일터에서 노동을 하는 사람.
근무 (勤務) – 직장에서 자기의 임무를 수행함.

① 경기가 좋지 않아서 많은 ____________들이 일자리를 잃었다.

② 3교대로 근무하는 일터에서는 8시간마다 ________자들이 교대한다.

③ ____________을 받으려고 몸이 아픈 데도 학교에 가야 할까?

④ 성실하고 ________한 사람이 사회에서 대접받는다.

원(院) : 집

학원 (學院) – 학교 이외의 사립 교육 기관.
병원 (病院) – 환자를 진찰, 치료하는 곳.
법원 (法院) – 법에 따라 옳고 그름을 판단하는 국가 기관.
사원 (寺院) – 종교 단체의 신자들이 예배나 포교를 하는 곳으로 일반적으로 불교의 절을 뜻함.
원장 (院長) – '원' 자가 붙은 시설이나 기관의 우두머리.

⑤ 죄를 지은 범죄자는 ________에서 그 죄에 대한 판결을 받는다.

⑥ 우리나라에서 가장 힘이 센 기관의 ________은 누구일까?

⑦ 어려서부터 ________에 다니면 미래에 자기 스스로 공부하는 능력을 잃을 수도 있다.

⑧ 종교에 귀의한 사람들은 ________에서 고된 수행을 하면서 도를 닦는다.

⑨ 가벼운 감기는 ________에 가지 않고도 낫는 병이다.

기본 문제

정답 pp.235-236

1

소리가 같은 한자 '근'(近, 勤)에서 만들어진 어휘들입니다. 뜻이 같은 한자에서 만들어진 어휘들끼리 묶어서 써 보세요.

개근상 | 근시 | 근면 | 근교 | 근로자 | 근거리 | 근해 | 근무 | 근대인

㉠ 가깝다 **근(近):**

㉡ 부지런하다 **근(勤):**

2

소리가 같은 한자 '원'(遠, 院)에서 만들어진 어휘들입니다. 뜻이 같은 한자에서 만들어진 어휘들끼리 묶어서 써 보세요.

학원 | 병원 | 원교 | 법원 | 원거리 | 사원 | 원시 | 원양 | 원장

㉠ 멀다 **원(遠):**

㉡ 집 **원(院):**

3

다음 어휘가 들어간 간단한 문장을 써 보세요.

개근상:

학원:

원거리:

9 모국어 열쇠

정답 p.236

의성어와 의태어

의성어와 의태어란?

'호로록'은 소리를 흉내 낸 의성어(擬聲語)이고, '어슬렁어슬렁'은 모습이나 움직임을 흉내 낸 의태어(擬態語)입니다. 여기에 쓰인 '의(擬)'는 '흉내 내다'는 뜻입니다. 사람이 아닌 것을 사람인 것처럼 표현하는 의인화(擬人化)에도 같은 한자가 쓰입니다. 그런데 '찰랑찰랑'이나 '졸졸'은 소리와 모습을 동시에 흉내 낸 말입니다. 이러한 낱말은 의성의태어입니다. 우리말의 의성어와 의태어는 한자어에는 없고 대부분 고유어입니다.

왜 의성어와 의태어를 사용할까?

생동감 있는 표현

다른 언어에 비해서 우리말에는 유난히 의성어와 의태어가 많이 발달했습니다. 의성어와 의태어는 어떤 기능이 있을까요? 의성어와 의태어를 적절하게 사용하면 매우 생동감 있는 표현이 가능합니다.

♬ 퐁당퐁당 돌을 던지자 ♬ 누나 몰래 돌을 던지자

이 동요에서 '퐁당퐁당'은 '누나 몰래'와 어울려서 리듬을 살리는 기능을 합니다. 또한 의성어가 돌을 던지는 장소가 물이 있는 시내나 연못임을 표현합니다. 더욱이 '퐁당퐁당'이 돌 던지는 행위를 여유 있는 낭만적 동작으로 느끼게 합니다.

사물과 생물의 특징 표현

의성어와 의태어는 소리, 모습, 행동을 묘사해서 사물과 생물의 특징을 쉽게 파악하는 데 도움을 줍니다.

병아리는 삐약삐약 송아지는 음메음메 오리는 뒤뚱뒤뚱 장맛비가 주룩주룩

위에 쓰인 병아리와 송아지 울음 소리, 오리가 걷는 모양을 생각하면서 우리는 각각의 동물마다 지닌 특징을 쉽게 연상할 수 있습니다. 그리고 '주룩주룩'은 장맛비가 이슬비나 소나기와 다른 특성을 지니고 있음을 잘 표현합니다.

우리말에 자주 쓰이는 의성·의태어

다음은 우리말에서 자주 쓰이는 의성·의태어입니다. 이 의성·의태어는 오른쪽 낱말들과 어울려서 함께 쓰입니다.

의성·의태어	소리나 모양	주로 어울리는 낱말
덜커덩/덜컹	크고 단단한 물건이 부딪쳐 울리는 소리	열리다, 닫히다
호로록	물이나 국수를 빠르게 입에 넣는 소리나 모양	마시다
후드득	굵은 빗방울 따위가 떨어지는 소리	비가 내리다

달그락달그락	작고 단단한 물건이 부딪쳐 맞닿는 소리	소리를 내다
바스락바스락	마른 잎, 종이를 밟거나 뒤적일 때 나는 소리	소리를 내다
바작바작	마른 물건을 태우거나 빻을 때 나는 소리나 모양	타다, 마르다
쓱싹쓱싹	음식을 섞는 모양이나 톱질할 때 나는 소리	비비다, 자르다
뚝딱뚝딱	일을 거침없이 해치우는 모양	만들다, 해치우다, 비우다
찰랑찰랑	물이나 액체가 넘칠 듯 흔들리는 모양	흔들리다
또박또박	말이나 글을 또렷하게 쓰는 모양	쓰다, 대답하다, 말하다
퐁당퐁당	물에 빠질 때 나는 소리	빠지다, 던지다
덥석	왈칵 달려들어 물거나 움켜잡는 모양	잡다, 물다, 붙잡다
사부작사부작	별로 힘들이지 않고 계속 가볍게 행동하는 모양	걷다
다닥다닥	자그마한 것들이 한곳에 많이 붙어 있는 모양	붙어 있다
야금야금	조금씩 먹거나 써버리는 모양	먹다, 바닥나다

의성·의태어와 대립

우리말에는 다음과 같이 모음과 자음이 서로 대립하는 의성·의태어가 많습니다.

또박또박 : 뚜벅뚜벅 | 강중강중 : 겅중겅중 | 깡충깡충 : 껑충껑충
달그락달그락 : 덜그럭덜그럭 | 찰랑찰랑 : 철렁철렁 | 다닥다닥 : 더덕더덕
똑딱똑딱 : 뚝딱뚝딱 | 호로록 : 후루룩

일반적으로 'ㅏ, ㅗ'가 쓰인 의성·의태어는 밝고 가벼운 느낌이고, 'ㅓ, ㅜ'가 쓰이면 크고, 무거운 느낌입니다. 우리는 밝고 가벼운 느낌을 주는 'ㅏ, ㅗ, ㅑ, ㅛ'를 양성 모음, 무거운 느낌의 'ㅓ, ㅜ, ㅕ, ㅠ'를 음성 모음으로 부릅니다. 그리고 자음에서는 거센소리와 된소리가 더 크거나 센 느낌을 표현합니다.

모국어 열쇠 활용 문제

다음 빈칸에 알맞은 의성·의태어를 써 넣으세요.

짱그랑 | 후루룩 | 짹짹 | 삐약삐약 | 꼬끼오 | 꽥꽥 | 어흥 | 부르릉 | 킁킁

① 커다란 호랑이 한 마리가 숲 속을 어슬렁거리다가 ________ 하고 크게 울었다.

② 설거지를 하다가 접시가 바닥에 떨어져 ________하고 깨져 버렸다.

③ 아버지가 자동차에 시동을 걸 때마다 ________ 소리가 난다.

④ 참새는 ________, 병아리는 ________, 닭은 ________,
오리는 ________하고 운다.

⑤ 사냥개가 ________대며 이곳저곳 사냥감을 찾아다녔다.

⑥ 아이가 배가 고팠는지 국수를 순식간에 ________ 먹어 치웠다.

심화 문제

정답 p.236

1 **다음 표에 대립하는 한자어로 빈칸을 완성해 봅시다.**

전진	
진보	
퇴화	
진로	
일보 전진	

근시	
근거리	
원양	
친근	
원경	

2 **다음 문장에 알맞은 단어를 골라서 동그라미를 그려 봅시다.**

㉠ 스스로 **(진로 / 진보)**하는 자만이 살아 남을 수 있습니다.

㉡ **(후퇴 / 퇴로)**가 완전히 막혔으니 범인이 도망치지 못할 겁니다.

㉢ 집 나간 학생이 몇 날 며칠 동안 먹지도 못하고 길을 헤매다가 마침내 **(탈진 / 탕진)**했어요.

㉣ 텔레비전을 가까이에서 보면 **(근시 / 원시)**가 되기 쉬우니 멀리 떨어져서 봐야지요.

㉤ 강아지를 오래 키우다 보면 사람보다 더 **(근접 / 친근)**하게 느껴질 때가 있습니다.

㉥ 회사에서 사람을 뽑을 때 **(근시 / 근면)**함을 가장 중시하지요.

우리말 바로 쓰기 교실 ⑥

'왜/왠지'와 '웬/웬일', '-더라/-던'과 '-든(지)', '되-'와 '돼-' 구별하기

정답 p.236

1. '왜/왠지'와 '웬/웬일' 사용 원칙
   '무슨 까닭으로/무슨 까닭인지'의 뜻에는 '왜/왠지'를 씁니다.
   '어떤/어찌 된 일'의 뜻에는 '웬/웬일'을 씁니다.
   '웨, 웬지'와 '왠, 왠일'은 항상 잘못된 표기입니다.
2. '-더라/-던'과 '-든(지)'
   과거를 나타내면 '-더라/-던'을 씁니다. (예: 했더라면, 했더라, 아침에 먹던 밥)
   둘 중에 하나를 선택할 때는 '-든/-든지'를 씁니다. (예: 사과든 배든 다 좋다.)
3. '되-'와 '돼-'
   '되+어'가 줄은 표현이면 '돼-'를 씁니다. (예: 참 안되었네 = 참 안됐네(O) 참 안됬네(X))

다음 맞춤법에 맞는 것에 ○표 하고 빈칸에 써 보세요.

1	왠 떡이냐?	웬 떡이냐?	
2	왠지 불길한 예감이 들었다.	웬지 불길한 예감이 들었다.	
3	왠일로 여기까지 다 왔니?	웬일로 여기까지 다 왔니?	
4	왠 눈이 이리 내리나!	웬 눈이 이리 내리나!	
5	그렇게 좋던가?	그렇게 좋든가?	
6	가던 오던 마음대로 해라.	가든 오든 마음대로 해라.	
7	교사가 되라고 말씀하셨다.	교사가 돼라고 말씀하셨다.	
8	번데기가 나비가 됬어.	번데기가 나비가 됐어.	
9	밥이 잘 되야 할 텐데.	밥이 잘 돼야 할 텐데.	
10	그러면 안 되지.	그러면 안 돼지.	

창의적
글쓰기 과제

① 남북통일

1950년 6월 25일 북한의 기습 남침으로 일어난 6·25 전쟁은 같은 민족끼리 총부리를 겨눈 비극의 역사입니다. 1953년 7월 27일 휴전 협정이 이루어진 뒤 한반도는 지금도 여전히 남과 북으로 갈라져 있습니다. 현재까지 남한과 북한은 대화와 대립 사이에서 줄타기를 계속하고 있습니다. 남한과 북한은 하나같이 통일의 필요성을 강조합니다. 그래서 남북한 주민들은 언젠가는 통일이 될 것으로 기대하고 있습니다. 남북의 통일에 대해서 한 번 생각해 보기로 하겠습니다.

[문제 1] **남한과 북한이 왜 통일을 해야 할까요?**
자신의 글을 읽고 더 많은 사람들이 통일을 염원할 수 있도록 멋진 글을 써 보세요.

참조 어휘: 남한 | 북한 | 통일 | 국토 | 인구 | 경제 | 경쟁력 | 자원 | 전쟁 | 국방비 | 개성공단 | 금강산 관광 | 일자리

내가 쓴 **창의적 글쓰기** 과제를 **온라인 사이트**에 올려서 공유하기

① 모공열 온라인 사이트(www.mogong10.com)에서 로그인합니다.
② '모공열 콘텐츠'에서 '모공열 글솜씨 자랑' 게시판으로 이동합니다.
③ 게시판 하단의 [글쓰기] 버튼을 클릭하여 글쓰기 창을 엽니다.
④ 학습 분류, 장, 주제를 선택한 후 글을 작성합니다.
⑤ [확인] 버튼을 눌러 자신의 글을 게시판에 올립니다.

[문제 2] **남북이 통일되면 여러분은 무엇을 하고 싶은가요? 멋진 글을 써 보세요.**

참조 어휘: 북한 어린이 | 백두산 | 천지 | 금강산 | 철도 | 언어 | 협동 | 여행 | 방문 | 친구 | 교류

학습할 내용

13. 가감(加減): 더함과 덞

대립 어휘 37. 증가(增加) : 감소(減少)
대립 어휘 38. 가중(加重) : 경감(輕減)
대립 어휘 39. 가압(加壓) : 감압(減壓)

같은 소리 다른 한자

가(家) "집"
가족(家族) / 가정(家庭) / 가장(家長) / 국가(國家) / 가훈(家訓)

감(感) "느끼다"
감정(感情) / 감지(感知) / 감상(感想) / 독감(毒感) / 감염(感染) / 공감(共感)

14. 합분(合分): 모음과 나눔

대립 어휘 40. 합성(合成) : 분해(分解)
대립 어휘 41. 융합(融合) : 분열(分列)
대립 어휘 42. 종합(綜合) : 분석(分析)

같은 소리 다른 한자

분(憤) "분하다"
분노(憤怒) / 공분(公憤) / 울분(鬱憤)

분(粉) "가루"
분말(粉末) / 분쇄(粉碎) / 분유(粉乳) / 분필(粉筆) / 분식(粉食)

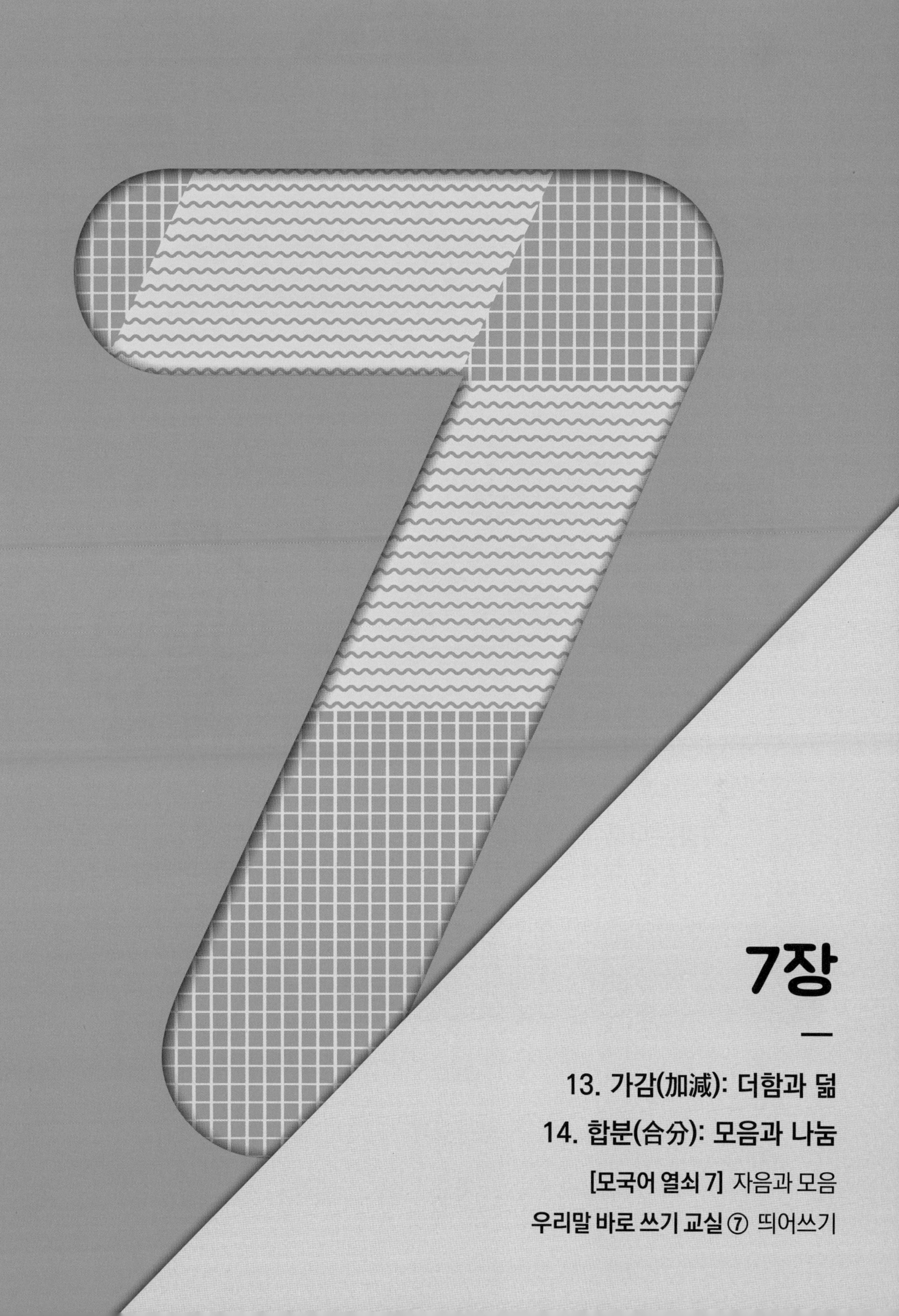

7장

13. 가감(加減): 더함과 덞

14. 합분(合分): 모음과 나눔

[모국어 열쇠 7] 자음과 모음

우리말 바로 쓰기 교실 ⑦ 띄어쓰기

13

더함과 덞

가(加) 감(減)

가감은 더하기와 빼기를 나타내는 대립 개념입니다. 속도, 무게, 압력, 점수, 부담과 관련된 낱말에서 **가(加)**와 **감(減)**이 대립합니다.

가감이 대립하는 표현

가	감
증**가**	**감**소
가속	**감**속
추**가**	삭**감**
가점	**감**점
생산 증**가**	생산 **감**소
가중	경**감**
예산 추**가**	예산 삭**감**
가점 부여	**감**점 부여
가압	**감**압
가압 장치	**감**압 장치

대립 어휘 37

난이도 ✻✻✻
〈통합〉

증가(增加) : 감소(減少)

양이나 수치가 늘어나면 증**가**, 줄어들면 **감**소

주제 쓰기

핵심 낱말

왜 꿀벌이 사라지면 인류도 위기에 처할까?

일정한 지역이나 환경에서 생물들이 서로 적응하고 상호관계를 맺으며 균형과 조화를 이루는 자연의 세계가 생태계입니다. 동물과 식물이 어우러진 생태계는 보이지 않는 질서를 유지하면서 조화를 이루고 있습니다. 잡아먹는 동물보다 잡아먹히는 동물의 개체 수가 많아서 생태계가 유지됩니다. 생물 간에는 서로 도우면서 사는 공생 관계와 먹고 먹히는 천적 관계도 형성되어 있습니다. 이와 같이 생태계에 있는 모든 생명체는 서로 영향을 주고받으며 살아갑니다. 그래서 어떤 생물의 수가 급격히 **증가**하거나 **감소**하면 생태계에 큰 혼란이 생깁니다.

만약 꿀벌들이 지구상에서 완전히 사라지면 지구에는 어떤 일이 일어날까요? 식물도 동물처럼 암컷과 수컷이 구별되어 있습니다. 동물은 암컷과 수컷이 만나서 짝짓기를 하고 새끼를 낳습니다. 그런데 식물은 옮겨 다니지 못해서 만날 수 없습니다. 이동이 불가능한 식물의 짝짓기는 꿀벌에 의해서 이루어집니다. 꿀벌이 이리저리 옮겨 다니면서 수술의 꽃가루를 암술의 머리에 전달합니다. 꿀벌의 도움으로 식물은 열매를 맺고, 그 열매는 사람과 동물의 먹을거리가 됩니다. 사람들이 먹는 주요 농작물 중에서 약 70%에 달하는 식물이 부지런한 꿀벌 덕분에 열매를 맺습니다. 만약 꿀벌들이 지구에서 사라진다면 이 식물들은 열매를 맺지 못합니다. 이렇게 되면 인류는 식량 부족 위기에 처할 가능성이 있습니다. 그런데 꿀벌의 수는 점점 감소하고 있다고 합니다. 만약 꿀벌이 사라지면 사람들은 무엇을 먹고 살까요?

대립 어휘 표현

인구 증가 : 인구 감소 | 주민 증가 : 주민 감소 | 학생 증가 : 학생 감소

주제 쓰기

핵심 낱말

대립 어휘 38

난이도 **
〈도덕〉

가중(加重) : 경감(輕減)

점점 무거워지면 **가**중, 가벼워지면 경**감**

거짓으로 책임을 피할 수 있을까?

여러분은 거짓말을 해 본 적이 있나요? 우리말에 쓰이는 '가감 없이 보고하다', '가감 없이 전달하다'는 더하거나 빼지 않고 있는 사실 그대로 보고하고 전달함을 뜻합니다. 친구들과 다투었을 때 부모님이나 선생님께 가감 없이 있는 그대로 말씀을 드려야 합니다. 어떤 사건이 벌어지면 책임을 회피하거나, 질책 받을 것을 두려워하는 사람이 있습니다. 그래서 없는 사실을 보태거나 있는 사실을 빼고 사건을 전달하는 경우가 있습니다.

없는 것을 꾸며내는 일만 거짓이 아닙니다. 실제로 있었던 일을 말하지 않아도 거짓입니다. 거짓말을 하면 일시적으로 책임에서 벗어날 수 있지만 진실은 언제나 밝혀지게 됩니다. 거짓말로 인해 작은 사건이 더 큰 문제로 발전하기도 합니다. 결국 거짓말을 한 사람은 **가중** 처벌을 받게 됩니다. 그리고 다른 사람도 피해를 입게 됩니다. 일이 잘못되었거나 사건이 생기면, 있는 사실을 그대로 전달하고 꾸중도 당당하게 받는 배짱이 있어야 합니다. 법에서도 자수하여 죄를 고백하고 잘못을 반성하면 처벌을 **경감**해 줍니다. 진실을 말하면 잠시 꾸중으로 끝나지만, 거짓은 오랫동안 사람들을 괴롭힙니다. 여러분은 엄마에게 거짓말을 한 적이 있나요? 만약 있다면 엄마에게 지금이라도 솔직하게 이야기를 해 보세요. 그러면 마음이 편안해질 겁니다.

대립 어휘 표현

가중 처벌 : 처벌 경감 | 업무 가중 : 업무 경감

대립 어휘 39

가압(加壓) : 감압(減壓)

난이도 ***
〈과학〉

압력의 크기를 늘리는 것이 **가**압,
줄이는 것이 **감**압

주제 쓰기

핵심 낱말

비행기에 타면 왜 귀가 아플까?

압력을 줄이는 것이 **감압**, 늘리는 것이 **가압**입니다. 공기 압력은 높은 곳으로 올라갈수록 낮아집니다. 인간의 몸은 외부 공기 압력과 균형을 이루어야 정상적으로 기능을 수행합니다. 비행기를 타거나, 대관령처럼 높은 지역에 올라가면 낮은 기압이 인체에 영향을 미치게 됩니다. 인체는 외부 기압이 낮아지면 자연스럽게 적응하지만, 기압이 갑자기 낮아지면 몸이 적응하지 못하고 팽창하여 터질 수도 있습니다.

비행기에는 압력을 조절하는 기압 조절 장치가 있습니다. 비행기가 이륙할 때는 조절 밸브를 조금씩 열어서 상공의 낮은 기압에 대비하고 착륙할 때는 지면의 기압에 맞추게 됩니다. 비행기 내부의 기압을 조절하는 감압 장치와 가압 장치에 고장이 생기면, 비행기가 지상 10km에 도달했을 때 내부와 외부 기압 차이로 탑승객에게 심각한 병이 생길 가능성이 있습니다. 그래서 압력 조절 장치를 이용하여 내부 압력을 약 지상 2.5km에 맞게 조절합니다. 그럼에도 불구하고 비행기 내부 압력이 땅의 기압보다 낮아서 탑승객은 자기 몸 안의 압력을 줄여 적응하게 됩니다. 귀가 아픈 것은 몸에서 압력이 빠져나가기 때문입니다. 이와 같은 현상은 높은 산에 올라가도 일어납니다. 여러분은 높은 산에 올라가서 압력 차이로 불편함을 느낀 적이 있는지요?

대립 어휘 표현

감압 장치 : 가압 장치 | 감압기 : 가압기 | 감압 밸브 : 가압 밸브

같은 소리 다른 한자

다음 한자를 익히고 예문의 빈칸을 채워 봅시다.

정답 p.236

가(家) : 집

가족 (家族) – 부부를 중심으로 이루어진 친족.
가정 (家庭) – 가족이 생활하는 생활 공동체.
가장 (家長) – 가정을 이끌어가는 사람.
국가 (國家) – 영토, 국민, 주권을 가진 공동체.
가훈 (家訓) – 한 집안의 자손들을 가르치는 교훈. (= 가정 교훈)

① 그는 타지에서 혼자 생활하면서 종종 고향에 있는 ________을 그리워했다.

② 아버지는 항상 ________으로서의 책임감에 어깨가 무겁다.

③ 화목한 ________에서 자란 아이가 친구들을 쉽게 사귄다.

④ 우리 집 ________은 '하면 된다'이다.

⑤ 민주주의 ________에서는 언론의 자유가 보장된다.

감(感) : 느끼다

감정 (感情) – 마음으로 느끼는 기분.
감지 (感知) – 어떤 일을 감각으로 느껴 알게 됨.
감상 (感想) – 마음에 드는 느낌과 생각.
독감 ((毒感) – 쉽게 낫지 않는 독한 감기.
감염 (感染) – 병균이 몸안에 들어와 병에 걸리거나 바이러스가 하드 디스크나 파일에 침투함.
공감 (共感) – 남과 같은 생각과 느낌.

⑥ 그는 자신의 ________을 좀처럼 드러내지 않아 차갑다는 말을 자주 듣는다.

⑦ 나는 위험을 ________하고 즉시 대원들에게 대피하라고 했다.

⑧ 자연 현상을 보고 떠오르는 생각이나 느낌이 ________이다.

⑨ 언니가 ________에 걸려서 며칠째 학교에 가지 못하고 있다.

⑩ 나는 컴퓨터 바이러스 ________을 막기 위해 매일 백신을 돌린다.

⑪ 나는 논리적 근거가 부족하다는 그의 의견에 ________한다.

기본 문제

정답 p.236

1 **소리가 같은 한자 '가'(加, 家)에서 만들어진 어휘들입니다. 뜻이 같은 한자에서 만들어진 어휘들끼리 묶어서 써 보세요.**

증가 | 가족 | 가속 | 가정 | 가중 | 가장 | 가산 | 추가 | 부가 | 국가

㉠ 더하다 **가(加):**

㉡ 집 **가(家):**

2 **소리가 같은 한자 '감'(減, 感)에서 만들어진 어휘들입니다. 뜻이 같은 한자에서 만들어진 어휘들끼리 묶어서 써 보세요.**

감소 | 감정 | 감점 | 감지 | 감상 | 감속 | 독감 | 감축 | 감염 | 감면 | 공감 | 경감

㉠ 덜다 **감(減):**

㉡ 느끼다 **감(感):**

3 **다음 어휘가 들어간 간단한 문장을 써 보세요.**

공감:

가훈:

감성:

14 모음과 나눔

합 合 分 분

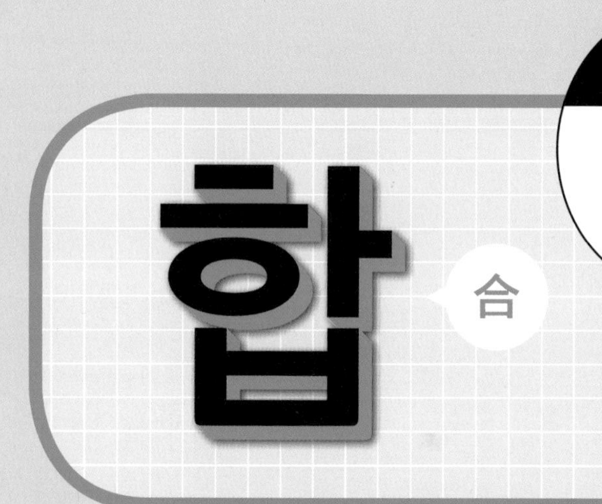

합분은 모음과 나눔을 나타내는 대립 개념입니다. 주로 물질, 대상, 내용, 개념을 합치고 나누는 말에서 **합(合)**과 **분(分)**이 대립합니다.

합분이 대립하는 표현

종**합**	**분**석
합성	**분**해
통**합**	**분**할

융**합**	**분**열
결**합**	**분**리
핵융**합**	핵**분**열

통**합**적 사고	**분**석적 사고
물리적 결**합**	화학적 **분**해

대립 어휘 40

난이도 ✻✻✻
〈과학〉

합성(合成) : 분해(分解)

둘 이상의 것을 합쳐서 하나를 이룸이 **합**성,
낱낱이 나눔이 **분**해

주제 쓰기

물리적 결합과 화학적 합성?

합성은 둘 이상의 것을 합침을, **분해**는 둘 이상으로 구성된 것을 각각의 요소로 나눔을 뜻합니다. 나무나 풀이 빛 에너지를 이용하여 이산화탄소와 물로 유기물을 만드는 과정이 광합성입니다. 광합성은 '빛을 이용한 합성'이라는 뜻입니다. 그래서 태양 빛이 없으면 광합성이 불가능합니다. 광합성은 강한 빛을 받을수록 그리고 섭씨 35도에서 가장 활발하게 일어납니다. 우리나라에서는 여름에 풀과 나무가 잘 자라는 이유입니다.

식물이 광합성을 하면서 산소를 배출합니다. 광합성처럼 두 개 이상의 요소가 완전히 결합해서 새로운 것을 만드는 반응이 합성입니다. 광합성 과정에서 이산화탄소와 물이 본래 성질을 잃고 새로운 것으로 바뀝니다. 이와 같은 현상이 '화학적 합성'입니다. 그렇지 않고 자동차처럼 각 부품이 그 특성을 그대로 유지하면서 결합하면 '물리적 결합'입니다. 주변에서 화학적 합성과 물리적 결합의 예를 찾아보세요.

핵심 낱말

대립 어휘 표현

물질 합성 : 물질 분해

주제 쓰기

핵심 낱말

대립 어휘 41

융합(融合) : 분열(分裂)

난이도 ***
〈과학〉

둘 이상이 합쳐서 하나가 되면 융**합**,
하나가 둘 이상으로 나뉘면 **분**열

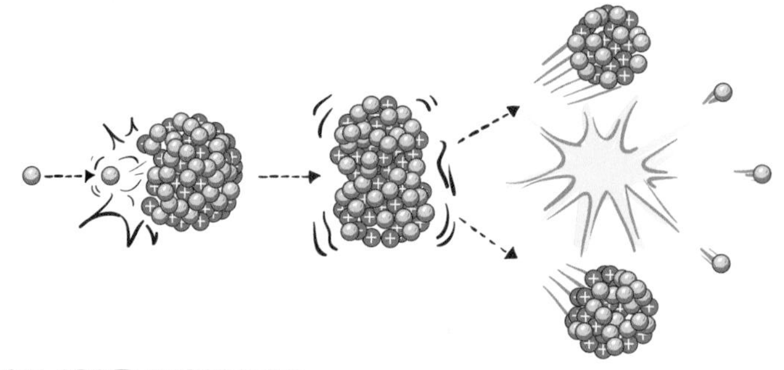

핵융합과 핵분열은 무엇일까?

생물이나 물체를 구성하는 가장 작은 단위가 원자이고 이 원자가 결합해서 분자가 됩니다. 물은 수소 원자 2개와 산소 원자 1개가 결합한 분자들의 모임입니다. 그래서 물의 분자 구조는 H_2O로 표시합니다. 원자는 세상의 모든 물질을 구성하는 최소 단위입니다. 모든 물질은 원자들의 결합체입니다. 원자는 원자핵과 주위를 둘러싼 전자로 구성되고, 원자핵에는 중성자와 양성자가 있습니다.

중성자가 충돌하여 연속적으로 분열이 일어나는 과정이 **핵분열**입니다. 핵분열 과정에서 중성자가 만들어지고, 이것이 연쇄적으로 분열하면 거대한 에너지가 생깁니다. 반면 **핵융합**은 삼중수소와 이중수소가 결합하여 무거운 헬륨 원자핵이 만들어지는 과정입니다. 이 과정에서 에너지가 발생합니다. 핵분열과 핵융합은 나무, 석탄, 원유와 비교하면 엄청난 에너지를 만드는 방법입니다. 그런 까닭으로 많은 나라에서 필요한 에너지를 생산하기 위해 원자력 발전소를 건설했습니다. 원자력은 인류에게 이롭게 쓰일 수도 있지만 무시무시한 전쟁 무기로도 사용될 수 있습니다. 핵무기에서 발생하는 방사성 물질은 인류에게 치명적 질병을 유발합니다. 핵에너지가 인류에게 행복을 줄지 불행을 줄지는 인간이 결정합니다. 여러분은 고갈되어 가는 지구의 에너지를 원자력 발전으로 충당하는 것에 찬성하는지요? 만약에 반대한다면 에너지를 생산하는 다른 방법에는 무엇이 있을까요?

대립 어휘 표현

핵융합 : 핵분열 | 중성자 융합 : 중성자 분열

대립 어휘 42

종합(綜合) : 분석(分析)

난이도 ✻✻
〈국어〉

여러 가지를 한데 모아서 합침이 종**합**,
복잡한 현상이나 대상을 개별 요소로 나눔이 **분**석

주제 쓰기

종합과 분석은 어떤 관계일까?

부분이 모여서 전체가 됩니다. 그렇지만 전체는 부분의 단순한 합이 아닙니다. 수소와 산소가 합쳐지면 완전히 다른 물질이 됩니다. 장기판에서 말 한 개를 다른 곳으로 이동시키면 전체 경기 국면이 달라집니다. 바둑에서도 바둑돌 한 알이 경기의 승패를 바꿀 수 있습니다. 그래서 장기와 바둑 경기에서 한 번의 실수로 경기에 패하기도 하고, 지혜로운 한 수로 승리하기도 합니다.

종합과 분석은 부분과 전체의 관계와 밀접하게 관련되어 있습니다. 복잡한 문장이 몇 개의 단순한 문장으로 분석됩니다. 몇 개의 개별 원리와 개념을 적용하여 복잡한 수학 문제가 만들어집니다. 복잡한 것을 풀어서 포함된 요소나 성질로 각각 나눔이 **분석**입니다. 반대로 개개의 개념과 판단을 결합하여 가장 합리적 결론을 내는 것이 **종합**입니다. 장기와 바둑처럼 전체 구조를 염두에 두고 살피는 능력이 종합적 사고입니다. 종합적 사고는 각각의 구성 요소가 지닌 특성을 분석적으로 파악해야 가능합니다. 종합과 분석은 이렇게 서로 긴밀하게 연관되어 있습니다. 학습에서도 이러한 원리가 적용됩니다. 부분을 알지 못하면 전체를 이해하지 못합니다. 여러분은 어떤 일에서 종합과 분석을 직접 경험하고 있나요?

핵심 낱말

대립 어휘 표현

종합적 사고 : 분석적 사고 | 내용 종합 : 내용 분석 | 전체 종합 : 전체 분석

같은 소리 다른 한자

다음 한자를 익히고 예문의 빈칸을 채워 봅시다. 

정답 p.236

분(憤) : 분하다

분노 (憤怒) – 몹시 화가 나고 분해서 성을 냄.
공분 (公憤) – 대부분의 사람이 느끼는 분노.
울분 (鬱憤) – 가슴에 담고 있는 답답하고 분한 마음.

① 그는 잔인한 범죄를 저지르고도 뻔뻔한 태도를 보여 사람들의 ________을 샀다.

② ________가 치밀어 올라도 때로는 참고 기다려야 기회가 온다.

③ 아들에게 해를 가한 친구들을 보고 아버지는 참았던 ________을 터뜨리고 말았다.

분(粉) : 가루

분말 (粉末) – 잘게 부수거나 갈아서 만든 가루.
분쇄 (粉碎) – 물체를 가루처럼 잘게 부스러뜨림.
분유 (粉乳) – 우유의 수분을 증발시켜 만든 가루.
분필 (粉筆) – 칠판에 글씨를 쓰는 필기 도구.
분식 (粉食) – 밀가루로 만든 칼국수, 라면, 수제비 등 음식.

④ 커피 원두를 ________한 정도에 따라서 커피 맛이 달라진다.

⑤ 요즘에는 ________로 된 음식 재료가 많아서 언제든지 물만 있으면 요리를 할 수 있다.

⑥ 왜 교실에 부러진 ________이 저렇게 많이 쌓여 있을까?

⑦ 방과 후 친구들과 학교 근처 ________집에서 떡볶이와 라면을 먹었다.

⑧ 왜 아기에게 모유가 ________보다 더 좋다고 할까?

기본 문제

정답 p.236

1 **소리가 같은 한자 '분'(分, 憤, 粉)에서 만들어진 어휘들입니다. 뜻이 같은 한자에서 만들어진 어휘들끼리 묶어서 써 보세요.**

분해 | 분노 | 분석 | 분열 | 분쇄 | 공분 | 분식 | 분말

㉠ 나누다 **분(分):**

㉡ 분하다 **분(憤):**

㉢ 가루 **분(粉):**

2 **다음 어휘가 들어간 간단한 문장을 써 보세요.**

분해:

분석:

공분:

분식:

정답 p.236

자음과 모음

자음과 모음의 의미

자음과 모음은 어떤 뜻일까요? 우리말에서 'ㄱ, ㄴ, ㄷ, ㄹ, ㅁ…' 등이 자음이고 'ㅏ, ㅑ, ㅓ, ㅕ, ㅡ, ㅣ…' 등이 모음입니다. 자음(子音)은 '자식의 소리', 모음(母音)은 '엄마의 소리'를 뜻합니다. '아, 야, 어, 여, 오, 요, 와, 워' 등 모음 즉 홀소리는 혼자서도 소리가 완성되지만, 자음은 홀로 소리를 만들지 못합니다. 자음은 '가, 나, 다, 라, 마, 바' 처럼 반드시 모음과 결합해야 소리가 완성됩니다. 엄마가 자식을 품어주듯이 소리에서도 자음은 모음이 품어야 완성되는 소리입니다. 자음과 모음은 이와 같은 깊은 뜻을 지니고 있습니다.

홀소리와 닿소리의 의미

자음과 모음 그리고 닿소리와 홀소리 중에서 어느 것이 더 좋은 표현일까요? 고유어로는 자음과 모음을 각각 '닿소리'와 '홀소리'라고 합니다. 닿소리는 '닿아서 나는 소리', 홀소리는 '홀로 설 수 있는 소리'라는 뜻입니다. 한자어 '모음'도 좋은 표현이지만 홀로 소리가 될 수 있다는 뜻을 가진 '홀소리'가 음의 특성을 더 명확하게 표현합니다. 자음, 즉 닿소리는 폐에서 나오는 공기를 한 곳에서 막아서 내는 소리입니다. 닿소리 [ㅁ, ㅂ, ㅍ, ㅃ]는 두 입술을 붙여서 내는 소리이고, [ㄴ, ㄷ, ㅌ]는 혀가 윗니를 막아서 내는 소리입니다. 그래서 [ㅁ, ㅂ, ㅍ, ㅃ]를 입술소리, [ㄴ, ㄷ, ㅌ, ㄸ]를 잇소리라고 합니다. '자음' 보다는 닿소리가 음의 특성을 더 잘 표현하고 있습니다.

우리말의 자음과 모음

우리말에는 자음 19개와 모음 10개가 있습니다. 최근에는 사람들이 [ㅔ]와 [ㅐ]를 구별하지 않습니다. 그래서 '에/애, 게/개, 데/대'를 모두 [애, 개, 대]로 발음합니다. 또한 '위'는 [우이]처럼 발음해서 이중 모음이 되어 가고 있습니다. 그래서 단모음 개수가 본래 10개에서 8개로 줄어들고 있습니다. 시간이 지나면 우리말의 모음은 8개가 될 가능성이 매우 높습니다.

모음들이 결합해서 '와, 워, 웨, 왜, 예, 얘' 등 이중 모음이 만들어집니다. 단모음과 이중 모음은 입 모양의 변화로 구별됩니다. 단모음 발음에서는 시작할 때와 끝날 때 입 모양에 변화가 없지만 이중 모음 발음에서는 입 모양이 달라집니다. 이중 모음 '와'는 처음에는 [오]로 시작하지만 끝에는 [아]처럼 입 모양이 바뀝니다.

자음과 모음의 표기

우리가 사용하는 한글은 세종대왕이 1446년에 만들어낸 훈민정음에서 비롯된 글자입니다. 훈민정음(訓民正音)은 '백성을 가르치는 올바른 소리'란 뜻입니다. 훈민정음이 창제되기 전에는 우리 민족은 한자로 우리말을 표기했습니다. 세종대왕이 이것을 안타깝게 여겨서 백성들이 쉽게 읽고 쓰도록 문자를 만들었습니다. 우리가 현재 사용하는 한글은 자음 19개와 모음 10개로 우리말의 모든 소리를 표기할 수 있습니다. 영어에서 사용하는 알파벳도 한글처럼 한정된 수의 문자로 모든 소리를 표현합니다. 한글은 29개의 문자, 알파벳은 28개의 문자를 사용합니다. 그런데 중국어에는 5만 개가 넘는 글자가 있습니다. 중국어 사용자는 5만 개의 글자를 배워야 하지만 우리는 문자 29개만 배우면 됩니다. 우리나라는 글자를 읽고 쓰지 못하는 사람의 비율, 즉 문맹률이 세계에서 가장 낮습니다. 그것은 첫째, 한글이 배우기 쉬운 문자이고 둘째, 우리나라의 교육열이 다른 나라에 비해서 높기 때문입니다. 세계에서 가장 쉬운 한글의 이름을 써 넣어 보세요.

ㄱ	기역	ㅂ		ㅋ	키읔	ㄸ	
ㄴ	니은	ㅅ	시옷	ㅌ		ㅃ	
ㄷ		ㅇ		ㅍ		ㅆ	
ㄹ		ㅈ		ㅎ		ㅉ	
ㅁ		ㅊ		ㄲ	쌍기역		

모국어 열쇠 활용 문제

한글과 알파벳은 적은 수의 문자로 모든 음을 표기할 수 있는 음소 문자입니다. 언어학자들은 한글이 알파벳보다 더 과학적 문자라고 평가합니다. 알파벳은 글자들 간에 서로 아무런 연관성이 없지만, 한글은 같은 자리에서 나는 자음들이 비슷한 모양으로 고안되었기 때문입니다. 다음 표의 빈칸에 글자를 써 넣고 한글이 왜 과학적 문자인지 생각해 보세요.

	기본 자음	가획 자음	거센 소리 (격음)	된소리 (경음)
어금닛소리	ㄱ			
혓소리	ㄴ	ㄷ		
입술소리	ㅁ	ㅂ		
잇소리	ㅅ	ㅈ		
목구멍소리	ㅇ			

심화 문제

정답 p.236

1 다음 표에 대립하는 한자어로 빈칸을 완성해 봅시다.

증가	
감속	
예산 추가	
감압 장치	
핵융합	

배합	
분해	
융합	
분리	
통합적 사고	

2 다음 문장에 알맞은 단어를 골라서 동그라미를 그려 봅시다.

㉠ 패배의 원인이 무엇인지 철저히 **(분석 / 분쇄)**해야 한다.

㉡ 국가가 발전하기 위해서는 국민 **(통합 / 합성)**이 무엇보다 중요하다.

㉢ 고속도로에 차량이 많아서 모든 차량이 **(감소 / 감속)** 운전을 했다.

㉣ 몇 명의 병사들이 야간에 적지에 들어가서 적들을 **(분석 / 분쇄)**했다.

㉤ 회사 사정이 나빠져서 근로자 임금이 일시적으로 30% **(삭감 / 경감)** 되었다.

㉥ 인터넷에 **(통합 / 합성)**한 사진이 많이 올라 있다.

우리말 바로 쓰기 교실 ⑦

띄어쓰기

정답 p.237

〈띄어쓰기 원칙〉

1. 조사는 앞말에 붙여 쓰세요. (예: 꽃이, 꽃밖에, 웃고만)
2. 의존 명사는 띄어 쓰세요. (예: 아는 것이 힘이다. 아는 이를 만났다.)
3. 단위를 나타내는 명사는 띄어 쓰세요. (예: 차 한 대, 소 한 마리)
4. 두 말을 이어 주거나 열거할 적에 쓰이는 말들은 띄어 쓰세요. (예: 청군 대 백군)
5. 보조 용언은 띄어 쓰세요. (예: 불이 꺼져 간다.)
6. 성과 이름은 붙여 쓰고, 호칭어, 관직명은 띄어 쓰세요. (예: 이율곡, 최치원 선생)
7. 고유 명사는 단어별로 띄어 쓰세요. (예: 한국 대학교 사범 대학)

원칙에서 벗어나지만 허용하는 경우도 있습니다.
1) 순서를 나타내거나, 숫자와 어울려 쓰이는 경우는 붙여 쓸 수 있다. (예: 한시 십분, 제일과)
2) 보조 용언은 경우에 따라 붙여 쓸 수 있다. (예: 불이 꺼져간다.)
3) 고유 명사는 단위별로 띄어 쓸 수 있다. (예: 한국대학교 사범대학)

다음 문장들을 띄어쓰기 규정에 맞게 다시 써 보세요.

1	나도할수있다.	
2	그책을다읽는데이틀이나걸렸다.	
3	먹을만큼먹어라.	
4	그일은할만하다.	
5	그운동화얼마짜리냐?	
6	그는‘예’하고말했다.	
7	합격자는결정되는대로발표하겠습니다.	
8	한국대호주축구경기가있다.	
9	충무공이순신장군은영웅이다.	
10	수업에들어가기는커녕운동장으로나갔다.	

학습할 내용

15. 온냉(溫冷): 따뜻함과 차가움

대립 어휘 43. 온대(溫帶) : 냉대(冷帶)

대립 어휘 44. 온혈 동물(溫血動物) : 냉혈 동물(冷血動物)

대립 어휘 45. 온후(溫厚) : 냉철(冷徹)

같은 소리 다른 한자

온(穩) "평온하다"

평온(平穩) / 온전(穩全) / 온건(穩健) / 온건파(穩健派) / 온당(穩當) / 불온(不穩)

고유어 온 "꽉 찬, 완전한"

온누리 / 온몸 / 온종일 / 온통 / 온달

16. 등락(騰落): 오름과 내림

대립 어휘 46. 급등(急騰) : 급락(急落)

대립 어휘 47. 폭등(暴騰) : 폭락(暴落)

대립 어휘 48. 반등(反騰) : 반락(反落)

같은 소리 다른 한자

등(等) 등급

열등감(劣等感) / 균등(均等) / 등한시(等閑視) / 월등(越等) / 강등(降等)

낙/락(樂) 즐기다

낙관(樂觀) / 낙원(樂園) / 쾌락(快樂) / 안락사(安樂死)

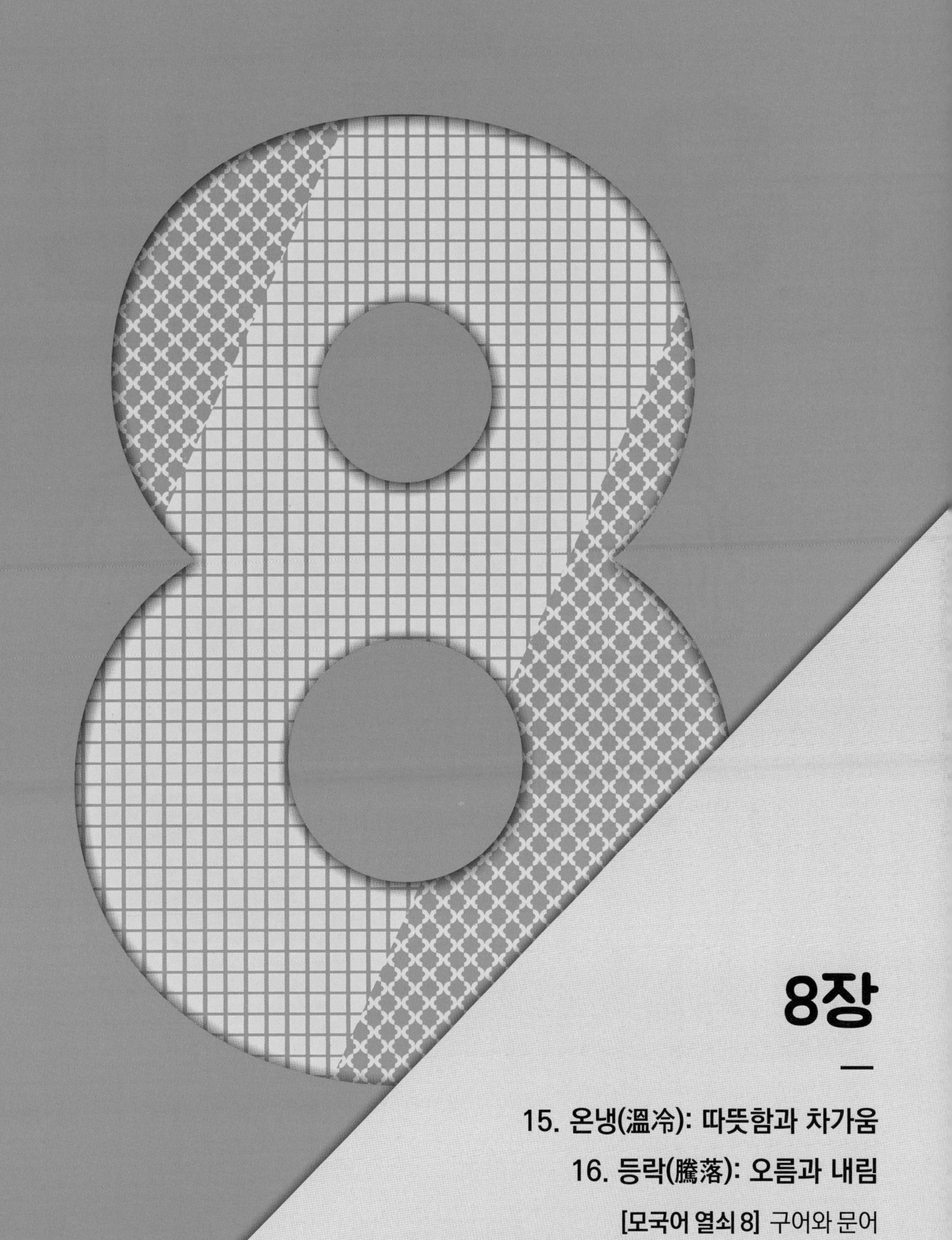

8장

—

15. 온냉(溫冷): 따뜻함과 차가움

16. 등락(騰落): 오름과 내림

[모국어 열쇠 8] 구어와 문어

우리말 바로 쓰기 교실 ⑧ 같은 소리 다른 뜻을 가진 어휘

15 따뜻함과 차가움

온 溫 冷 냉

온냉은 따뜻함과 차가움을 나타내는 대립 개념입니다.
주로 물질, 기후, 액체, 사람의 성격과 관련된 낱말에서
온(溫)과 **냉(冷)**이 대립합니다.

온냉이 대립하는 표현

온	냉
온수	**냉**수
온기	**냉**기
온난	한**랭**

온	냉
온후한 성격	**냉**철한 성격
온혈	**냉**혈
온대 기후	**냉**대 기후

온	냉
온화한	**냉**소/**냉**정한
온탕	**냉**탕
온정	**냉**정
온혈 동물	**냉**혈 동물

대립 어휘 43

난이도 ✻✻
〈통합〉

온대(溫帶) : 냉대(冷帶)

기후가 따뜻한 지역이 **온**대, 추운 지역이 **냉**대

주제 쓰기

아열대와 아한대의 '아'는 무슨 뜻일까?

지구에서 적도 근처가 가장 덥고, 남극과 북극 지역이 가장 춥습니다. 적도 부근이 열대 지역, 남극과 북극 부근이 한대 지역입니다. 우리나라, 일본, 프랑스는 온대 지역으로 위도상 중간에 위치하고 있습니다. 지구는 이처럼 온도에 따라서 크게 세 지역으로 나뉩니다. 열대는 '뜨거운 지역', **온대**는 '따뜻한 지역', 한대는 '찬 지역'이란 뜻입니다. 지역을 더 상세하게 분류하면 냉대와 아열대 지역이 추가됩니다. **냉대**는 한대와 온대 사이 지역이고, 아열대는 열대와 온대의 중간 지역입니다. 냉대를 아한대라 부르기도 합니다.

아열대와 아한대에 쓰인 '아(亞)'는 무슨 뜻일까요? 이 표현은 '버금'을 뜻합니다. 우리말에서 가장 뛰어나거나 첫째가 '으뜸'이고, 으뜸 바로 아래 것을 '버금'이라고 합니다. 버금을 한자어로 표현하면 '아(亞)'입니다. 그래서 아열대는 '열대 바로 다음', 아한대는 '한대 바로 전' 지역입니다. 열대 기후에서는 잎이 넓은 활엽수가, 냉대 기후에서는 잎이 가는 침엽수가 자랍니다. 기후에 따라서 나무의 종류가 다른 까닭이 무엇일까요? 그리고 활엽수와 침엽수는 어떤 점이 서로 다를까요?

핵심 낱말

대립 어휘 표현

온대 기후 : 냉대 기후 | 온대 지방 : 냉대 지방

주제 쓰기

핵심 낱말

대립 어휘 44

난이도 **
〈과학〉

온혈 동물 : 냉혈 동물
(溫血動物) (冷血動物)

체온을 일정하게 유지하는 동물이 **온**혈 동물,
온도에 따라 체온이 변하는 동물이 **냉**혈 동물

겨울에는 왜 모기와 개구리를 볼 수 없을까?

지구에 많은 동물이 살고 있지만 동물마다 환경에 적응하면서 살아가는 방식이 서로 다릅니다. 사람, 사자, 호랑이 등 포유류, 참새, 닭, 오리 등 조류는 항상 일정한 체온을 유지합니다. 포유류와 조류는 같은 체온을 유지하는 **온혈 동물**입니다. 반면 개구리와 두꺼비 같은 양서류, 악어와 뱀이 속하는 파충류, 고등어, 참치 등 어류는 이들이 서식하는 환경에 따라서 체온이 변하는 **냉혈 동물**입니다. 온혈은 '따뜻한 피', 냉혈은 '차가운 피'라는 뜻입니다. 그러면 냉혈 동물은 차가운 피를 가진 동물일까요? 그렇지 않고 환경과 같은 체온을 지닌 동물입니다. 그래서 냉혈 동물을 '변온 동물'이라고도 합니다. 주변의 온도에 따라서 피의 온도가 변화한다는 뜻입니다. 온혈 동물을 변온 동물과 대립시켜서 '정온 동물'이라고도 하는데, 이것은 '정해진 체온을 지닌 동물'을 뜻합니다.

모기도 개구리와 같은 변온 동물입니다. 이 동물들은 겨울 추위를 견디지 못합니다. 이 동물들이 겨울에 바깥에 돌아다니면 날씨가 추워서 모두 얼어 죽지요. 그래서 겨울에는 모기와 개구리를 볼 수 없습니다. 변온 동물은 추위를 피하기 위해서 겨울잠을 자고, 열대 지방의 변온 동물은 여름잠을 잡니다. 겨울잠은 '동면', 여름잠은 '하면'이라고도 합니다. 우리나라에서 어떤 동물이 겨울잠을 자는지, 그리고 얼마나 오랫동안 잠을 자는지 알아보세요.

대립 어휘 표현

온혈 동물 포유류 : 냉혈 동물 파충류

대립 어휘 45

온후(溫厚) : 냉철(冷徹)

난이도 ***
〈통합〉

성격이 따뜻하고 덕이 많음이 **온**후,
생각이나 판단이 이성적임이 **냉**철

주제 쓰기

핵심 낱말

'뜨거운 가슴'과 '차가운 머리'란 무엇일까?

"인간은 이성적 동물이다"란 말은 인간만이 사유 능력을 지니고 있음을 표현합니다. 인간에게는 이성이 있어서 동물과 구별됩니다. 이성은 사실과 거짓, 착함과 악함을 식별하는 능력입니다. 인간에게는 이성과 대립하는 감성 또는 감정도 있습니다. 이성과 감정은 인간이 본래부터 지닌 특성입니다. 인간은 오감이라고 부르는 다섯 가지 감각, 즉 '시각, 청각, 후각, 미각, 촉각'을 지니고 있습니다. 이러한 감각은 동물도 지니고 있습니다.

사람이 행복하게 살기 위해서는 따뜻함과 차가움, 여림과 강함, 느림과 빠름이 조화를 이루어야 합니다. 사람들이 '뜨거운 가슴과 차가운 머리'라는 말을 자주 합니다. 가슴과 머리라는 상징 표현으로 이성과 감정의 조화를 강조한 말입니다. 훌륭한 사람들은 **온후**한 마음과 덕을 지닌 동시에 **냉철**하게 사리를 판단하는 이성을 겸비하고 있습니다. 그들은 차가운 머리로 지식을 습득하고, 사리를 판단하며 동시에 뜨거운 가슴으로 예술과 생활을 즐기고 사람을 대합니다. 만약에 차가운 가슴과 뜨거운 머리로 세상을 살면 어떤 일이 벌어질까요?

대립 어휘 표현

온후한 감성 : 냉철한 이성 | 온후한 가슴 : 냉철한 머리

같은 소리 다른 한자

다음 한자를 익히고 예문의 빈칸을 채워 봅시다.

정답 p.237

온(穩) : 평온하다

평온 (平穩) – 조용하고 평안함.
온전 (穩全) – 잘못된 것 없이 바르거나 옳음.
온건 (穩健) – 생각이나 행동이 한쪽으로 치우치지 않고 과격하지 않음.
온건파 (穩健派) – 사상이나 행동이 과격하지 않은 사람이나 모임.
온당 (穩當) – 판단이나 행동이 사리에 어긋나지 않고 알맞음.
불온 (不穩) – 사상이나 태도가 체제에 순응하지 않음. (예. 불온 서적)

① 어쨌든 그는 죄를 지었으니 처벌을 받는 것이 ________합니다.

② 경찰들이 ________ 전단을 찾기 위해 그 사람의 집을 수색했다.

③ 한바탕 난리를 치렀지만 내 자리는 ________히 남아 있었다.

④ 그 여자는 과격한 의견에 반대하고 ________한 입장을 표명했다.

⑤ 모든 갈등이 해소되고 나자 마음이 ________해졌다.

⑥ 그 남자는 개혁을 거부하고 ________의 주장에 동조했다.

고유어 '온–' : 꽉 찬, 완전한

온누리 – 사람들이 살고 있는 세상 전체.
온종일 – 아침부터 저녁까지 하루 종일.
온달 – 꽉 찬 한 달이나 이지러짐이 없는 보름달.
온몸 – 몸의 전체.
온통 – 있는 것 모두.

⑦ 아이가 재롱을 떨어서 집안이 ________ 웃음바다가 되었다.

⑧ 바깥에서 ________ 놀기만 했더니 피곤하다

⑨ 계곡 물에 발을 담갔더니 ________이 시원해졌다.

⑩ 음력 보름이 되면 ________이 뜬다.

⑪ 따뜻한 햇살이 ________에 비추고 있다.

기본 문제

정답 p.237

1 **소리가 같은 한자 '온'(溫, 穩)과 고유어 '온'에서 만들어진 어휘들입니다. 뜻이 같은 '온'에서 만들어진 어휘들끼리 묶어서 써 보세요.**

온전 | 온몸 | 온도 | 온풍 | 온통 | 평온 | 온당 | 온종일 | 온대 | 불온 | 온건

㉠ 따뜻하다 **온(溫):**

㉡ 평온하다 **온(穩):**

㉢ 꽉 찬, 완전한 **온-:**

2 **다음 어휘가 들어간 간단한 문장을 써 보세요.**

평온:

냉정:

온전:

16

오름과 내림

등 騰 落 락

등락은 가격의 오름과 내림을 나타내는 대립 개념입니다. 주로 급격한 가격 변화, 순위와 관련된 낱말에서 **등(騰)**과 **락(落)**이 대립합니다.

등락이 대립하는 표현

등	락
폭등	폭락
급등	급락
반등	반락

등	락
주가 폭등	주가 폭락
인기 폭등	인기 폭락
속등	속락

등	락
물가 급등	물가 급락
가격 반등	가격 반락
순위 급등	순위 급락
물가 **등락** (物價 **騰落**)	

대립 어휘 46

난이도 ***
〈사회〉

급등(急騰) : 급락(急落)

가격이 갑자기 오르면 급**등**, 내리면 급**락**

주제 쓰기

왜 채소와 과일 값은 오르고 내릴까?

태풍이 오면 채소 값이 오를까? 채소와 과일 가격은 일정하지 않습니다. 여름에 장마가 심해서 비가 많이 오면 채소 가격이 갑자기 오릅니다. 하지만 비가 적당히 내리고 맑은 날이 많으면 채소 값이 갑자기 내립니다. 이와 같이 물건 가격이 갑자기 오르고 내리는 현상을 **급등, 급락**이라고 합니다. 물건 가격의 급격한 변동은 시장 원리가 적용되기 때문입니다. 시장 원리에 의해서 물건 가격은 수요자와 공급자가 서로 원하는 점에서 결정됩니다. 수요가 많은데 공급이 부족하면 물건값이 오르고, 수요가 적은데 공급이 많으면 물건값이 내립니다.

여름철 채소 가격이 급등, 급락하는 것은 날씨 영향으로 공급량이 변화하기 때문입니다. 날씨가 좋으면 채소가 잘 자라서 공급량이 늘어나지만 날씨가 좋지 않으면 채소 생산량이 부족하여 공급이 줄어듭니다. 채소 값은 일반적으로 공급 불균형으로 가격이 급락하거나 급등하게 됩니다. 과일 생산량도 여름철 날씨가 좋고 나쁨에 따라서 많은 영향을 받습니다. 일반적으로 물건 가격은 수요와 공급의 원리에 의해 결정되지만, 어떤 물건에는 시장 원리가 적용되지 않습니다. 경쟁 상품이 없는 독점 시장에서 이러한 일이 일어납니다. 독점 시장에서는 한 사람 또는 한 기업만 그 물건을 공급하므로 공급자가 마음대로 가격을 결정할 수 있습니다. 왜 운동화 가격이 서로 다를까요? 운동화 가격은 수요와 공급에 의해서 결정될까요?

핵심 낱말

대립 어휘 표현

물가 급등 : 물가 급락 | 과일 값 급등 : 과일 값 급락 | 가격 급등 : 가격 급락

주제 쓰기

핵심 낱말

대립 어휘 47

난이도 ***
〈사회〉

폭등(暴騰) : 폭락(暴落)

폭탄처럼 폭발할 듯이 오르면 폭**등**, 내리면 폭**락**

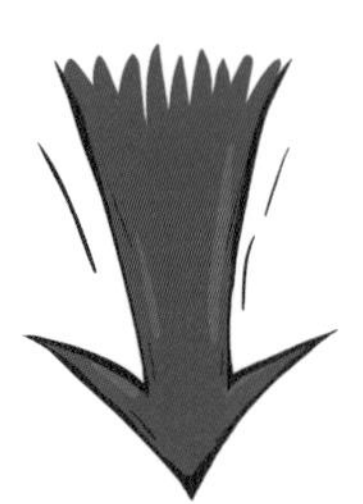

주식 가격은 언제 폭등하고 폭락할까?

급등과 급락보다 더 급격한 가격 변동에는 **폭등**과 **폭락**이란 말이 사용됩니다. 천재지변이나 테러와 같은 큰 사건이 일어나면 증권 시장에서 주식 가격이 폭락합니다. 9.11 테러가 일어났을 때 미국과 한국은 물론 전 세계의 주가가 폭락했습니다. 주식은 돈이 아니라 돈으로 바꿀 수 있는 증서입니다. 그런데 전쟁이나 천재지변이 일어나면 주식을 돈으로 교환하는 것이 불가능합니다. 큰 사고가 일어나면 회사가 망하거나 이익을 내지 못하기 때문입니다. 그래서 큰 사건이 터지면 사람들이 주식을 가능하면 빨리 돈으로 바꾸려고 합니다. 주식을 매각하려는 사람이 많아서 가격이 폭락할 수밖에 없습니다.

우리나라 증권 시장에서는 주가의 폭등과 폭락을 방지하기 위해서 상한가와 하한가라는 가격 제한폭 제도를 운영하고 있습니다. 주가가 아무리 올라도 상한가 이상 오를 수 없고, 반대로 아무리 떨어져도 하한가 이하로 떨어지지 않습니다. 우리나라에서 상한가와 하한가의 가격 변동폭은 30%로 정해져 있습니다. 10만 원짜리 주식이 하루에 가장 많이 오르면 13만 원, 내리면 7만 원이 됩니다. 이 제도는 증권 시장에서 급격한 가격 변동을 방지하고 투자자를 보호하기 위한 방편입니다. 이에 빗대어 연예인의 인기가 갑자가 올라가면 상한가를 쳤다는 표현을 쓰기도 합니다. 여러분의 인기가 상한가를 친 적이 있었나요? 만약 없었다면 언제 상한가를 칠 수 있을까요?

대립 어휘 표현

주가 폭등 : 주가 폭락 | 인기 폭등 : 인기 폭락

대립 어휘 48

반등(反騰) : 반락(反落)

난이도 ***
〈국어〉

물가나 주식 따위의 시세가 떨어지다 오르면 반**등**,
오르던 시세가 갑자기 떨어지면 반**락**

주제 쓰기

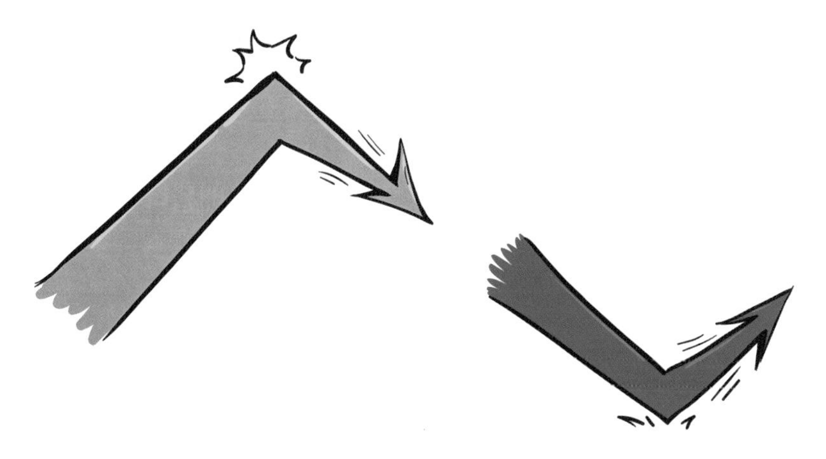

등산, 등교와 폭등, 급등, 반등에 쓰인 '등'은 같은 의미일까?

급등과 급락, 폭등과 폭락은 한 방향으로 가격이 오르거나 내림을 의미합니다. 그런데 물가나 주가가 내려가다가 다시 오르면 **반등**이라고 하고, 반대로 오르다가 내리면 **반락**이라고 합니다. 반등과 반락을 그래프로 표시하면 꺾이는 점이 됩니다. 수학에서 이와 같이 꺾이는 점이 극댓값, 극솟값입니다. 극댓값과 극솟값은 전체 그래프에서 가장 높은 최댓값, 가장 낮은 최솟값과 다른 개념입니다. 최댓값과 최솟값은 하나이지만 극댓값과 극솟값은 둘 이상일 수 있습니다.

급등과 급락, 폭등과 폭락, 반등과 반락에 쓰이는 '등락(騰落)'은 가격의 오르내림에 쓰이는 말입니다. 그런데 우리가 자주 사용하는 등산, 등교, 등장, 등재, 등록 등에 쓰인 '등(登)'은 어떤 장소에 나타나거나 서류에 이름 등이 올라감을 뜻합니다. 산에 오르면 등산(登山), 학교에 가면 등교(登校), 무대로 나가면 등장(登場), 장부나 서류에 올리면 등재(登載), 학교나 단체에 이름을 올리면 등록(登錄)이라 합니다. 그래서 등산과 등교의 대립 어휘는 각각 '하산'과 '하교'이지 *낙산과 *낙교가 아닙니다. 여러분은 8시 30분 등교와 9시 등교 중에서 어느 것이 더 좋은가요? 그리고 그 이유는 무엇인가요?

핵심 낱말

대립 어휘 표현

가격 반등 : 가격 반락 | 가치 반등 : 가치 반락 | 인기 반등 : 인기 반락

같은 소리 다른 한자

다음 한자를 익히고 예문의 빈칸을 채워 봅시다.

정답 p.237

등(等)
: 등급

열등감 (劣等感) – 자기를 남보다 못하다고 느끼는 감정.
등한시 (等閑視) – 소홀하고 하찮게 보아 넘김.
균등 (均等) – 고르게 나누어 차별이 없음. (예. 기회 균등, 균등 배분)
월등 (越等) – 수준이나 실력이 뛰어남.
강등 (降等) – 등급이나 계급이 낮아짐.

① 그는 수학의 기초 개념 학습을 ________ 해서 결국 수학을 포기했다.

② 경기에서 받은 상금은 참가자 전원에게 ________ 하게 분배됩니다.

③ 한국 국민의 생활 수준은 30년 전보다 ________ 하게 나아졌다.

④ 부대에서 발생한 총기 사고의 책임을 물어 그는 대령에서 이등병으로 ________ 되었다.

⑤ 엄마가 키에 대해 신경을 쓸수록 아이는 더욱 더 키에 대한 ________ 에 빠져든다.

락/낙 (樂)
: 즐기다

고락 (苦樂) – 괴로움과 즐거움.
낙관 (樂觀) – 매사를 나아질 것이라고 바라봄. (예. 낙관적 전망)
낙원 (樂園) – 걱정과 부족함이 없는 즐거운 곳. (예. 지상 낙원)
쾌락 (快樂) – 감정과 욕망의 충족에서 느끼는 즐거운 감정.
안락사 (安樂死) – 살아날 가망이 없는 환자나 동물의 생명을 인위적으로 끊음.

⑥ 지상 ________ 으로 알려진 북유럽에도 빈부의 차이가 있다.

⑦ 비관적 절망보다 ________ 적 희망을 가져야 난관을 극복할 수 있다.

⑧ 인간이 ________ 만을 추구하면서 살아도 될까?

⑨ 우리나라에서는 아직 ________ 가 법적으로 허용되지 않고 있다.

⑩ 군대에서 생사 ________ 을 함께한 전우들이 다시 모였다

기본 문제

정답 p.237

1 **소리가 같은 한자 '등'(騰, 等)에서 만들어진 어휘들입니다. 뜻이 같은 한자에서 만들어진 어휘들끼리 묶어서 써 보세요.**

폭등 | 균등 | 열등 | 반등 | 급등 | 월등 | 강등

㉠ 오르다 **등(騰):**

㉡ 등급 **등(等):**

2 **소리가 같은 한자 '락'(落, 樂)에서 만들어진 어휘들입니다. 뜻이 같은 한자에서 만들어진 어휘들끼리 묶어서 써 보세요.**

낙관 | 낙원 | 폭락 | 급락 | 반락 | 쾌락 | 안락사

㉠ 떨어지다 **락(落):**

㉡ 즐기다 **락/낙(樂):**

3 **다음 어휘가 들어간 간단한 문장을 써 보세요.**

낙관:

급등:

월등:

구어와 문어

정답 p.237

구어와 문어란?

언어는 의사소통하는 수단에 따라 구어와 문어로 나뉩니다. 구어(口語)는 입말이고, 문어(文語)는 글말입니다. 구어는 소리 즉 음성을 사용하고, 문어는 글자를 사용합니다. 말로 하는 구어와 글로 쓰는 문어는 많은 차이가 있습니다. 글자와 소리는 서로 항상 일치하는 것이 아닙니다. 우리는 '같이'라고 쓰지만 [가치]라고 읽어야 합니다. 영어에도 글자는 'know'로 쓰지만 [크노우]가 아니라 [노우]라고 읽지요.

여러분이 받아쓰기를 할 때 자꾸만 틀리는 것도 우리말 맞춤법이 소리와 같지 않기 때문입니다. 우리는 [사라미, 꼬치, 구지]라고 말하지만 글로 쓰면 '사람이, 꽃이, 굳이'가 됩니다.

우리말 구어와 문어의 차이

우리말에서 구어와 문어는 어떤 차이가 있을까요? 우리말의 구어와 문어는 다른 언어에 비해서 그 차이가 큰 편입니다. 구어와 문어가 어떻게 다른지 살펴보기로 하겠습니다.

발음과 글자의 다름

입말은 글말과 다른 특성을 지니고 있습니다. 글말에는 규칙이 정해져 있어서 변화가 쉽게 일어나지 않지만, 입말은 시간이 지나면서 비교적 자유롭게 변화합니다. 이 결과로 글말과 입말이 서로 달라집니다. 대부분의 언어에서 구어와 문어는 서로 다릅니다. 다음 예에서 우리말 구어와 문어를 비교해 보겠습니다.

문어	나는 밥을 많이 먹었다.
구어	[나는 바블 마니 머걷따]

문어	복만이는 밥 먹고 학교에 갔다.
구어	[봉마니는 밤 먹꼬 학꾜에 갇따]

사용하는 낱말의 다름

구어와 문어에서 어휘가 다른 경우도 많습니다. 구어에서는 '너'를 '니', '그것'을 '그거', '무엇'을 '뭐'로 사용합니다. 또한 '하지 않다'는 '안 하다', '듣지 못했다'는 '못 들었다'가 구어에서 더 자주 사용됩니다.

구어	니가 뭐하러 거까지 갔니?
문어	네가 무엇을 하려고 거기까지 갔니?

구어	그건 안 배우고 안 들어도 뭔지 다 알아.
문어	그것은 배우지 않고, 듣지 않아도 무엇인지 알고 있어.

구어의 문법 파괴

구어에서는 문법을 파괴해도 큰 문제가 되지 않습니다. 대화 상대방에게 말하고자 하는 내용 전달이 가장 중요한 목적이기 때문입니다. 다음에 쓰인 구어에는 조사 생략, 잘못된 어휘 선택, 주어와 서술어 불일치 등 많은 오류가 있지만, 한국 사람이면 누구나 내용을 이해하는 표현입니다.

구어

오늘 나 감기라서 학교 못 갔어. 엄마가 선생님이 오지 말라고 했대. 그래서 책 봤는데 무지 재미있어. 저녁에 책이랑 일기 쓰고 자려고.

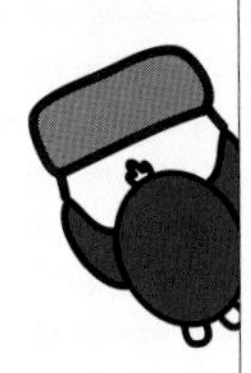

문어

오늘 나는 감기에 걸려서 학교에 가지 못했다. 엄마가 선생님께서 학교에 오지 말라고 하셨다고 말해 주었다. 그래서 책을 읽었는데 책 내용이 매우 재미있다. 저녁에 책 읽고, 일기를 쓰고 나서 잘 예정이다.

위에 쓰인 구어는 그대로 문어로 쓰기에는 적합하지 않습니다. 구어는 녹음하지 않으면 순간적으로 지나가지만, 문어는 끝까지 남게 됩니다. 말도 잘하고 글도 잘 쓰는 사람이 그리 많지 않습니다. 우리는 입말과 글말을 모두 잘하기 위해서 많은 노력을 기울여야 합니다.

의사소통 중심의 외국어 학습

구어와 문어는 모두 우리가 사용하는 언어입니다. 구어에서 표준어를 사용하지 않거나, 문법적 오류가 있어도 의사소통에는 지장이 없습니다. 입말은 어휘, 문법, 발음이 표준에서 벗어나는 경우가 종종 있습니다. 영어가 모국어인 영국인, 미국인이 영어를 해도 어휘, 발음, 문법에서 실수가 일어납니다. 그렇기 때문에 여러분도 외국어 학습에서 실수나 오류를 두려워하지 않아도 됩니다. 외국어 학습에서 실수와 오류는 자연스러운 현상입니다.

모국어 열쇠 활용 문제

다음에 쓰인 구어를 문어로 바꾸어 다시 써 보세요.

① 내 그림 어때? 진짜 잘 그렸지?
② 쟤들은 여기 뭐하러 왔니?
③ 감기 땜에 어제 하나도 못 잤어.

심화 문제

정답 p.237

1 다음 표에 대립하는 한자어로 빈칸을 완성해 봅시다.

온수	
온풍	
냉혈	
온화한	
냉대 기후	

급등	
속등	
반락	
냉철한	
주가 폭등	

2 다음 문장에 알맞은 단어를 골라서 동그라미를 그려 봅시다.

㉠ 사계절은 (**온대** / **열대**) 지방에서 뚜렷하게 구별되지요.

㉡ 창문을 열자 차디찬 (**냉기** / **온기**)가 방으로 쏟아져 들어왔어요.

㉢ 어려운 사람들을 위해 (**온정** / **온건**)을 베풀어 주세요.

㉣ 배추 값이 (**폭등** / **폭락**)해서 식당에서 배추 김치가 기본 반찬에서 빠졌어요.

㉤ 그 도시는 나에게 (**쾌락** / **낙원**)과도 같은 곳이었어요.

㉥ 기량이 (**월등** / **균등**)한 선수인데 이상하게 이번 시합에서 좋은 성적을 내지 못했어요.

우리말 바로 쓰기 교실 ⑧

같은 소리 다른 뜻을 가진 어휘

정답 p.237

다음 맞춤법에 맞는 단어에 ○표 하고 빈칸에 써 보세요.

1	약속은 (반드시 / 반듯이) 지켜라.	
	의자에 (반드시 / 반듯이) 앉은 자세로 책을 읽어라.	
2	우산을 (바치고 / 받치고) 갔다.	
	그 이등병은 목숨을 (바쳐 / 받쳐) 나라를 구했다.	
3	시간이 있으니 (이따가 / 있다가) 오너라.	
	서점에 (이따가 / 있다가) 전화를 받았다.	
4	오전에 김장 배추를 (저렸다 / 절였다).	
	다리가 (저려서 / 절여서) 오래 걷기 어렵다.	
5	우체국에 가서 편지를 (부쳤다 / 붙였다).	
	편지 봉투에 우표를 (부쳤다 / 붙였다).	
6	쓰레기를 휴지통에 (벌였다 / 버렸다).	
	형이 합격을 했다고 엄마가 잔치를 (벌였다 / 버렸다).	
7	눈물을 (먹음고 / 머금고) 그 제안을 받아들였다.	
	밥상에 (먹음직스러운 / 머금직스러운) 반찬이 많다.	
8	생선을 (조린다 / 졸인다).	
	경기 내내 마음을 (조렸다 / 졸였다).	
9	(사람으로서 / 사람으로써) 그럴 수는 없다.	
	(대화로서 / 대화로써) 문제를 해결해야 한다.	
10	부주의로 손을 (다쳤다 / 닫혔다).	
	바람이 불어서 문이 갑자기 (다쳤다 / 닫혔다).	

학습할 내용

17. 선악(善惡): 선함과 악함

대립어휘 49. 선의(善意) : 악의(惡意)

대립어휘 50. 선행(善行) : 악행(惡行)

대립어휘 51. 선순환(善循環) : 악순환(惡循環)

같은 소리 다른 한자

선(先) "먼저"

우선(優先) / 선진(先進) / 선발대(先發隊) / 선생(先生) / 선배(先輩)

악(握) "쥐다"

악력(握力) / 파악(把握) / 장악(掌握) / 악수(握手)

18. 진가(眞假): 진짜와 가짜

대립 어휘 52. 진분수(眞分數) : 가분수(假分數)

대립 어휘 53. 진성(眞聲) : 가성(假聲)

대립 어휘 54. 진짜(眞-) : 가짜(假-)

같은 소리 다른 한자

진(珍) "보배"

진귀(珍貴) / 진주(珍珠) / 진풍경(珍風景) / 산해진미(山海珍味)

가(價) "값"

평가(評價) / 가치(價値) / 가격(價格) / 물가(物價) / 대가(代價) / 가치관(價値觀)

9장

17. 선악(善惡): 선함과 악함

18. 진가(眞假): 진짜와 가짜

[모국어 열쇠 9] '몹시, 심하게'의 뜻을 가진 접두사

우리말 바로 쓰기 교실 ⑨ '조사' 바로 쓰기

17

선함과 악함

선 善 惡 악

선악은 선함과 악함을 뜻하는 대립 개념입니다. 주로 행동, 사람의 본성이나 의도, 상황 변화와 관련된 낱말에서 **선(善)**과 **악(惡)**이 대립합니다.

선악이 대립하는 표현

선행	**악**행
선한 사람	**악**한 사람
선순환	**악**순환

최**선**의 선택	최**악**의 선택
성**선**설	성**악**설
개**선**되다	**악**화되다

선의	**악**의
선정	**악**정
선정을 베풀다	**악**정을 일삼다
권**선**징**악** (勸**善**懲**惡**)	

대립 어휘 49

난이도 ✻✻
〈도덕〉

선의(善意) : 악의(惡意)

선의는 좋은 뜻, **악**의는 나쁜 뜻

주제 쓰기

핵심 낱말

행동의 과정은 똑같은데 왜 결과가 달라질까?

같은 물건이 **선의**로 또는 **악의**로 사용될 수 있습니다. 요리사는 맛있는 음식을 만들기 위해서 선의로 칼을 이용하지만, 범죄자는 악의로 칼을 사용해서 다른 사람에게 해를 입힙니다. 핵도 마찬가지입니다. 악의로 핵을 사용하면 사람을 죽이는 핵무기가 되고, 선의로 핵을 이용하면 사람들의 삶을 윤택하게 하는 원자력 에너지가 됩니다. 동일한 도구나 물체를 선의로 사용할지 아니면 악의로 사용할지를 결정하는 것은 사람입니다.

같은 도구가 선의와 악의로 사용되듯이, 똑같은 행동도 선의냐 악의냐에 따라서 평가가 달라집니다. 다른 사람의 목숨을 빼앗는 살인 행위는 법에서 살인죄가 적용되지만, 생명을 잃을 위험에 빠진 피해자가 자기를 보호하기 위해 방어하다가 범죄자에게 입힌 피해는 정당방위로 무죄가 됩니다. 설날 어른들이 아이들에게 선의로 세뱃돈과 선물을 줍니다. 그런데 원하는 것을 불법으로 얻기 위해서 악의로 주는 돈과 물건은 '뇌물'입니다. 남에게 준 물건이 선물인지, 뇌물인지 판단하는 기준은 무엇일까요? 친구들과 함께 토론해 보세요.

대립 어휘 표현

선의의 거짓말 : 악의의 거짓말 | 선의의 선물 : 악의적 뇌물

주제 쓰기

대립 어휘 50

난이도 ✻✻✻
〈통합〉

선행(善行) : 악행(惡行)

선행은 착한 행동, **악**행은 나쁜 행동

인간은 본래 지킬일까 아니면 하이드일까?

〈지킬 박사와 하이드 씨의 이상한 사례〉(Strange Case of Dr. Jekyll and Mr. Hyde)는 로버트 스티븐슨이 1886년에 쓴 소설입니다. 영화 "지킬과 하이드"와 연극 "지킬 앤 하이드"는 이 작품을 토대로 만들어졌지요. 소설 〈지킬 박사와 하이드 씨의 이상한 사례〉는 인간이 지닌 선함과 악함을 다룬 소설입니다. '지킬'과 '하이드'는 각각 인간의 선함과 악함을 표현하는 대명사처럼 쓰입니다. 사람은 본래 선하다고 보는 관점이 성선설이고, 악하다고 보는 견해가 성악설입니다. 다른 사람 또는 사회를 위해서 착한 일을 하는 행동이 **선행**, 나쁜 일을 하는 행동이 **악행**입니다. 세상에는 선행을 하며 사는 사람도 있고, 악행을 일삼는 사람도 있습니다. 그들이 본래 선하고 악한 사람들일까요? 인간의 본성이 착한지 악한지 알 수 없어서 성선설과 성악설에 대한 논쟁이 계속되고 있습니다.

인간이 본래 선하게 태어났지만 사회의 영향을 받아서 악행을 저지를까요? 아니면 악하게 태어났지만 교육을 통해서 선한 사람으로 살고 있을까요? 인간의 본성과 상관없이 우리는 선한 행동은 권장하고, 악한 행동은 징계해야 하는데, 이것을 '권선징악(勸善懲惡)'이라고 합니다. 사람들은 영화, 드라마, 연극, 소설에서 나쁜 사람이 벌을 받고, 착한 사람이 보상받는 결말을 바랍니다. 실제로 사람들의 바람을 반영해서 대부분의 작품이 권선징악으로 끝을 맺지요. 여러분은 인간의 내면에 지킬과 하이드가 함께 있다고 생각하나요?

핵심 낱말

대립 어휘 표현

선행을 하다 : 악행을 일삼다

대립 어휘 51

난이도 ✻✻✻
〈통합〉

선순환(善循環) : 악순환(惡循環)

좋은 현상이 잘 돌아감이 **선**순환,
나쁜 현상이 끊임없이 되풀이됨이 **악**순환

악순환의 고리를 어떻게 끊을까?

순환은 '돌아서 다시 제자리로 옴'을 뜻합니다. 순환에는 좋게 돌아가는 **선순환**과 늘 삐걱거리면서 돌아가는 **악순환**이 있습니다. 왜 사람들이 경제 구조의 선순환과 악순환에 대해 이야기를 많이 할까요? 일반적으로 후진국 경제는 '빈곤의 악순환'이 지속됩니다. 후진국은 가난하고 기술력이 부족해서 큰 공장을 짓지 못합니다. 그래서 한꺼번에 많은 물건을 생산하지 못하고 똑같은 물건을 만들어도 선진국에 비해 더 많은 비용이 들어갑니다. 이 악순환의 고리를 끊으려면 자본과 생산에서 어느 하나의 문제가 먼저 해결되어야 하지만 그 방법을 찾기가 쉽지 않습니다.

학습에서도 선순환과 악순환이 일어납니다. 기초가 단단하면 쉽게 다음 단계 학습에 적응할 수 있습니다. 그렇지만 기초가 부실하면 지속적으로 악순환에 시달려야 합니다. 기초 공사가 부실하면 건물을 짓다가 사고가 일어나 공사가 중단될 수도 있고 어떤 난관이 닥칠지 모릅니다. 학습에서 악순환이 일어나는 원인은 대체로 선행 학습입니다. 특히 지금 배우는 내용을 제대로 모르면서 장차 배울 것을 미리 학습하면 학습의 악순환에 빠지게 됩니다. 선순환은 여러분에게 학습에서 자신감을 불어넣지만 악순환은 절망에 빠지게 합니다. 여러분의 학습은 선순환인가요 아니면 악순환인가요? 악순환이라면 무엇을 바꾸어야 할까요?

대립 어휘 표현

선순환 구조 : 악순환 구조 | 경제 선순환 : 경제 악순환

주제 쓰기

핵심 낱말

같은 소리 다른 한자

다음 한자를 익히고 예문의 빈칸을 채워 봅시다.

정답 p.238

선(先) : 먼저

우선 (于先) – 여러 가지 일 중에서 가장 먼저.
선진 (先進) – 발전하여 앞서 나감.
선발대 (先發隊) – 먼저 출발하는 부대나 무리. (예. 선수단 선발대)
선생 (先生) – 먼저 태어남의 뜻이고, 가르치는 사람 또는 학문이나 기술이 뛰어난 사람.
선배 (先輩) – 같은 학교에 먼저 입학한 사람 또는 같은 분야에서 앞선 사람.

① ________국의 조건에는 여러 가지가 있습니다.

② 요즘에는 가르치는 직업뿐만 아니라 윗사람에게도 ________이란 말을 사용한다.

③ 학교와 사회에서 ________들이 후배들을 잘 이끌어야 한다.

④ 유직지 답사를 가기 전에 미리 ________가 출발해서 숙박 시설을 알아보았다.

⑤ 해야 할 일이 많으니 ________ 각자가 자리부터 정리해 봅시다.

악(握) : 쥐다

악력 (握力) – 손아귀로 쥐는 힘.
파악 (把握) – 손으로 잡아 쥔다는 뜻으로 대상의 내용이나 본질을 확실하게 이해함.
장악 (掌握) – 손안에 쥔다는 뜻으로 무엇을 마음대로 할 수 있게 됨.
악수 (握手) – 서로 손을 내어 마주 잡음.

⑥ ________를 할 때 중요한 예절은 상대방과 눈을 마주치는 것이다.

⑦ 철봉을 많이 하면 ________이 세진다.

⑧ 무지한 사람이 권력을 ________하면 국민이 힘들어진다.

⑨ 본질을 먼저 ________하고 외국의 제도를 들여와야 한다.

기본 문제

정답 p.238

1 **소리가 같은 한자 '선'(善, 先)에서 만들어진 어휘들입니다. 뜻이 같은 한자에서 만들어진 어휘들끼리 묶어서 써 보세요.**

선인 | 선행 | 선진 | 우선 | 선생 | 개선 | 선발대

㉠ 착하다 **선(善):**

㉡ 먼저 **선(先):**

2 **소리가 같은 한자 '악'(惡, 握)에서 만들어진 어휘들입니다. 뜻이 같은 한자에서 만들어진 어휘들끼리 묶어서 써 보세요.**

악순환 | 악력 | 악행 | 악수 | 장악 | 악의

㉠ 악하다 **악(惡):**

㉡ 쥐다 **악(握) :**

3 **다음 어휘가 들어간 간단한 문장을 써 보세요.**

우선:

악의:

장악:

진가는 참과 거짓을 나타내는 대립 개념입니다. 주로 물건, 목소리, 분수, 사실 여부와 관련된 낱말에서 **진(眞)**과 **가(假)**가 대립합니다.

진가가 대립하는 표현

진	가
진짜	**가**짜
진품	**가**품
진성	**가**성

진	가
진분수	**가**분수
진솔한 마음	**가**식적 행동
진상을 밝히다	**가**상 현실

진	가
진면목	**가**면
과학적 **진**실	시험적 **가**정

대립 어휘 52

난이도 ✻✻
〈수학〉

진분수(眞分數) : 가분수(假分數)

분자가 분모보다 작으면 **진**분수,
분자가 분모보다 크거나 같으면 **가**분수

주제 쓰기

핵심 낱말

가분수도 분수일까?

분수는 1/3, 2/3와 같이 분자와 분모로 표시한 수입니다. 1/3, 2/3에서 윗부분에 있는 1, 2가 분자이고 아랫부분에 있는 3이 분모입니다. 분자(分子)와 분모(分母)는 자식과 엄마에서 비롯된 관계입니다. 엄마는 마음이 크고 넓습니다. 그래서 분모는 분자보다 큰 수가 되어야 정상입니다. 분자가 분모보다 작은 1/2, 2/3 등이 '진짜 분수', 즉 **진분수**이고, 분자가 분모보다 크거나 같은 4/3, 5/2, 1(2/2)는 '가짜 분수', 즉 **가분수**입니다.

분수는 여러 개로 나눈 조각 중에서 몇 개인가를 표시하는 방법입니다. 세 조각으로 나눈 피자 한 조각은 1/3이고, 네 조각으로 나눈 피자 한 조각은 1/4입니다. 그래서 4/3, 5/4와 같은 가분수는 진정한 의미의 분수가 아닙니다. 3조각, 4조각으로 나눈 피자에서 4/3, 5/4는 실제로 존재하지 않습니다. 그래서 가분수를 진분수로 바꾸면 4/3 = 1 + 1/3, 5/4 = 1 + 1/4처럼 정수 + 분수가 됩니다. 4/3은 피자 한 판과 1/3, 5/4는 피자 한 판과 1/4을 뜻합니다. 초등학교 수학에서 분수가 가장 중요한 단원입니다. 분수를 제대로 이해하지 못하면 중학교, 고등학교에서 수학을 잘하기는 쉽지 않습니다. 여러분은 1/2 + 1/3이 왜 2/5가 아니라, 5/6인지 설명할 수 있는지요?

대립 어휘 표현

진분수 방정식 : 가분수 방정식 | 진분수 덧셈 : 가분수 덧셈

주제 쓰기

핵심 낱말

대립 어휘 53

진성(眞聲) : 가성(假聲)

난이도 ✻✻
〈음악〉

성대가 붙은 상태에서 내는 소리가 **진**성,
성대가 떨어진 상태에서 내는 소리가 **가**성

노래에서 진성과 가성은 모두 필요한가?

목소리는 가슴에서 공기를 내뿜으면서 목의 성대를 떨어서 내는 소리입니다. 목소리에서 진성과 가성은 어떻게 구별될까요? 진성과 가성은 성대가 어떤 상태에서 떨리는가에 따라서 구별됩니다. 성대가 접촉한 상태에서 진동이 일어나면 **진성**이고, 성대가 떨어진 상태에서 진동이 일어나면 **가성**입니다. 가수들은 큰 소리를 낼 때는 진성을 사용하고, 높은 음을 낼 때는 가성을 이용합니다.

가슴 소리를 의미하는 흉성은 진성과 유사한 의미이고, 두성은 머리에서 나는 소리를 뜻합니다. 두성은 가성과 다르게 입안과 머리에서 공명이 일어나는 소리입니다. 일반적으로 두성이 진성보다 소리가 더 큽니다. 두성은 머리로 소리를 내는 것이 아니라, 머리에서 공명이 일어나는 소리입니다. 발음에서 [ㄴ, ㅁ]를 비음(鼻音)이라고 합니다. 비음은 '콧소리'라는 뜻인데 코로 소리를 내는 것이 아닙니다. 비음이 콧속 공간에서 공명이 일어나듯이 두성도 머리의 공간에서 공명이 일어나는 소리입니다. 가수들은 진성, 가성, 두성을 넘나들면서 노래합니다. 여러분의 꿈이 가수라면 평소에 이 소리들을 자유자재로 낼 수 있도록 연습해야겠지요?

대립 어휘 표현

진성 고음 : 가성 고음 | 진성 영역 : 가성 영역

대립 어휘 54

진짜(眞-) : 가짜(假-)

난이도 ✻✻✻
〈통합〉

본래의 것이 **진**짜,
본뜨거나 거짓으로 만들어 낸 것이 **가**짜

주제 쓰기

가(假)가 쓰이면 항상 가짜일까?

다른 물건을 본떠서 만든 물건이 '모조품', 즉 '짝퉁'입니다. 짝퉁의 어원은 분명하지 않지만 비싼 가방이나 시계와 비슷하게 만든 가짜 물건을 지칭하는 말입니다. 짝퉁이란 말이 사용되기 전에는 가짜, 짜가, 가품이란 용어가 쓰였습니다. 그런데 사람들이 '짝퉁'이란 말을 자주 사용해서 짝퉁이 표준어가 되었습니다. **진짜**와 **가짜**에 쓰인 '진'과 '가'는 참과 거짓을 뜻합니다. 가명은 '가짜 이름', 가발은 '머리털과 유사한 것이나 다른 사람의 머리칼로 만든 가짜 머리'입니다.

그러면 가설, 가계약, 가건물, 가제본 등도 모두 가짜일까요? 가설은 어떤 사실을 설명하기 위해서 설정한 가정이고, 가계약은 본 계약 전에 임시로 하는 계약입니다. 그리고 가건물은 잠시 사용하기 위해 임시로 지은 건물이고, 가제본은 책을 만들기 전에 임시로 만든 책입니다. 가설, 가계약, 가건물, 가제본에 쓰인 '가'는 가짜가 아니라 '임시'의 뜻입니다. 그리고 가계약, 가건물의 대립 어휘는 *진계약, *진건물이 아니라 '본 계약', '본 건물'이고, 가설, 가명의 대립 어휘도 *진설, *진명이 아니라 '정설', '실명 또는 본명'입니다. 또한 가석방, 가압류, 가조약의 대립 어휘는 석방, 압류, 조약입니다. 진짜와 가짜가 대립하지만 '가'가 붙었다고 모두 가짜가 아닙니다. 이처럼 '가'가 붙었지만 가짜를 의미하지 않는 어휘에 어떤 것이 있는지 엄마, 아빠와 함께 찾아보세요.

핵심 낱말

대립 어휘 표현

진짜 가방 : 가짜 가방 | 진짜 반지 : 가짜 반지 | 진짜 구두 : 가짜 구두

같은 소리 다른 한자

다음 한자를 익히고 예문의 빈칸을 채워 봅시다.

정답 p.238

진(珍) : 보배

진귀 (珍貴) – 매우 보배롭고 귀함. (예. 진귀한 예술품)
진주 (珍珠) – 조개의 살 속에 생기는 아름다운 빛깔의 보석.
진풍경 (珍風景) – 구경거리가 될 만한 보기 드문 광경.
산해진미 (山海珍味) – 산과 바다의 진귀한 재료로 만든 음식.

① 매년 여의도에서 벌어지는 불꽃놀이는 ________을 이룬다.

② 엄마가 외국 손님을 대접하기 위해 ________로 밥상을 차렸다.

③ ________한 물건일수록 경매에서 더 높은 가격에 낙찰된다.

④ '돼지 목에 ________ 목걸이'는 제 격에 맞지 않음을 표현한다.

가(價) : 값

평가 (評價) – 일이나 물건의 가치나 값을 매김.
가치 (價値) – 어떤 것이 지니고 있는 쓸모. (= 값어치)
가격 (價格) – 물건의 가치를 돈으로 표시한 것.
물가 (物價) – 물건이나 상품의 가격.
대가 (代價) – 어떤 일로 생기는 보수나 희생. (예. 노동의 대가)
가치관 (價値觀) – 세상을 바라보는 관점.

⑤ 같은 물건에 대해서 사람마다 서로 다른 ________를 부여한다.

⑥ 희망 소비자 ________ : 500원

⑦ 오직 신만이 인간을 ________할 수 있다.

⑧ 세대 간의 갈등은 종종 ________의 차이에서 비롯된다.

⑨ ________는 계속 오르고 있는데 왜 제 용돈은 그대로인가요?

⑩ 노동자는 일한 만큼 정당한 ________를 요구할 권리가 있다.

기본 문제

정답 p.238

1 **소리가 같은 한자 '진'(眞, 珍)에서 만들어진 어휘들입니다. 뜻이 같은 한자에서 만들어진 어휘들끼리 묶어서 써 보세요.**

진품 | 진심 | 진귀 | 진실 | 진성 | 진주 | 진풍경

㉠ 참 **진(眞):**

㉡ 보배 **진(珍):**

2 **소리가 같은 한자 '가'(假, 價)에서 만들어진 어휘들입니다. 뜻이 같은 한자에서 만들어진 어휘들끼리 묶어서 써 보세요.**

물가 | 가치 | 가격 | 가짜 | 가성 | 평가 | 가식 | 가상

㉠ 거짓 **가(假):**

㉡ 값 **가(價):**

3 **다음 어휘가 들어간 간단한 문장을 써 보세요.**

진실:

가식:

가치:

정답 p.238

'몹시, 심하게'의 뜻을 가진 접두사

접두사 '뒤-, 드-, 들-, 들이-, 악-, 짓-, 처-, 치-, 휘-'는 '몹시, 심하게, 매우, 힘껏'의 의미를 더해 줍니다. 우리말에는 강조 의미를 더해주는 접두사가 자주 쓰입니다. 낱말에 따라서 다른 접두사가 붙습니다.

뒤- '몹시, 마구, 온통'의 뜻을 더함

뒤끓다 – 먹다 만 과일을 바로 치우지 않았더니 금세 초파리가 **뒤끓었다**.
뒤덮다 – 먹구름이 하늘을 **뒤덮더니** 이내 소나기가 내렸다.
뒤섞다 – 전시장 앞에 온갖 장사꾼과 구경꾼들이 **뒤섞여** 난장판이 되었다.
뒤엉키다 – 주머니에 이어폰을 넣어 두었더니 줄이 이리저리 **뒤엉켰다**.
뒤흔들다 – 그 놀라운 발견은 전 세계를 **뒤흔들었다**.

드- '매우' 또는 '높게'의 뜻을 더함

드날리다 – 그는 어려서부터 영재로 이름을 **드날렸다**.
드넓다 – **드넓은** 벌판을 바라보니 속이 탁 트이는 것 같다.
드높다 – 가을은 다른 계절보다 유난히 하늘이 **드높다**.
그 선수는 올림픽에서 금메달을 따 우리나라 이름을 **드높였다**.
드세다 – 그 애는 성질이 **드세서** 어른들한테도 말대답을 하더라.

들- '무리하게, 마구'의 뜻을 더함

들끓다 – 명동 거리는 항상 사람들이 **들끓는다**.
들볶다 – 그 집 시어머니는 매일 며느리를 **들볶더라**. 며느리가 불쌍해.
들쑤시다 – 괜히 벌집을 **들쑤셨다가** 벌에 쏘일 뻔했다.

들이- '마구, 갑자기'의 뜻을 더함

들이닥치다 – 초인종 소리에 문을 열자 친구들이 **들이닥쳤다**.
들이받다 – 운전 실수로 가로등을 **들이받았다**. 다행히 다친 사람은 없었다.
들이덮치다 – 형사는 끈질긴 추적 끝에 범죄 현장을 발견해 **들이덮쳤다**.

짓- 'ㅤ마구, 함부로'의 뜻을 더함

짓누르다 – 무거운 가방이 어깨를 **짓눌렀다**.

짓밟다 – 잔디를 **짓밟으면** 잔디가 아파합니다.

짓이기다 – 약초를 **짓이겨** 즙을 내 상처에 바르면 빨리 낫는 데 도움이 된다.

처- '마구, 많이'의 뜻을 더함

처넣다 – 물건을 차곡차곡 넣어야 많이 들어가지. 그렇게 가방에 대충 **처넣으면** 쓰겠니?

처먹다 – 날이면 날마다 술만 **처먹으니** 속이 쓰렸다.

처박다 – 쓸모가 없는 물건들을 창고 구석에 **처박아** 두었다.

처바르다 – 이 약은 조금만 발라도 되는데 왜 이렇게 **처발라** 놨니?

치- '위로 향하게'의 뜻을 더함

치닫다 – 둘 사이의 갈등은 심각한 수준까지 **치달았다**.

치밀다 – 화가 **치밀어** 올라 나도 모르게 욕설을 내뱉었다.

치솟다 – 맛있다는 입소문이 나자 그 과자의 인기가 하늘 높은 줄 모르고 **치솟았다**.

휘- '매우, 세게'의 뜻을 더함

휘갈기다 – 글씨를 이렇게 **휘갈겨** 쓰면 아무도 알아보지 못한다.

휘감다 – 날씨가 추워서인지 거리에 목도리로 목을 **휘감은** 사람이 많았다.

휘날리다 – 바람이 세게 불자 머리카락이 **휘날렸다**.

휘몰아치다 – 눈보라가 **휘몰아치는** 바람에 산 중턱에 고립되었다.

모국어 열쇠 활용 문제

다음 낱말에 '몹시, 심하게'의 뜻을 가진 접두사를 붙여서 새로운 낱말을 만들어 보세요.

날리다	휘날리다
밟다	
먹다	
누르다	
끓다	
볶다	
솟다	

박다	처박다
밀다	
감다	
덮치다	
높이다	
섞다	
쑤시다	

심화 문제

정답 p.238

1 다음 표에 대립하는 한자어로 빈칸을 완성해 봅시다.

선행	
선순환	
최악	
성악설	
악전	

진짜	
가품	
진성	
가분수	
가식	

2 다음 문장에 알맞은 단어를 골라서 동그라미를 그려 봅시다.

㉠ 그녀의 마음이 (**진짜 / 진심**)인지, 가식인지 도대체 모르겠어요.

㉡ 돼지 목에 (**진주 / 진귀**) 목걸이다.

㉢ 물건의 (**가치 / 물가**)는 소비자가 평가하는 것입니다.

㉣ (**선인 / 선의**)의 거짓말을 가장 많이 하는 직업이 무엇일까요?

㉤ 20세기 초 조선 유학생들은 외국의 (**선행 / 선진**) 문물을 배우기 위해 노력했어요.

㉥ 그 배우는 원래 (**악인 / 악역**)을 주로 맡던 사람인데 이번 작품에서는 그러지 않았다.

우리말 바로 쓰기 교실 ⑨

'조사' 바로 쓰기

정답 p.238

우리말에는 조사가 매우 많아요. 그래서 조사를 잘못 써서 문장의 의미를 이해하기 어려운 경우가 있습니다. 다음에 쓰인 조사를 올바로 고쳐서 써 보세요.

1	산**에** 새가 지저귄다.	
2	눈이 아파서 눈**에** 눈물이 났다.	
3	바이러스 때문에 병**이** 걸린다.	
4	이 물건을 저것**에** 비교할 수 없다.	
5	그가 나**를** 더 좋은 선물을 주었다.	
6	이 집으로 이사**를** 오**면서** 피아노를 시작했다.	
7	사랑에 빠진 여자**의** 아름다운 이유.	
8	한강**의** 흐르는 방향을 알아보자.	
9	나는 노래**가** 부르고 싶어 노래방을 갔다.	
10	그녀가 지하철**을** 내리자 나도 따라서 내렸다.	

학습할 내용

19. 두미(頭尾): 머리와 꼬리

대립 어휘 55. 두괄식(頭括式) : 미괄식(尾括式)
대립 어휘 56. 용두사미(龍頭蛇尾)
대립 어휘 57. 접두사(接頭辭) : 접미사(接尾辭)

같은 소리 다른 한자

두(豆) "콩"
두부(豆腐) / 두유(豆乳) / 연두색(軟豆色)
미(味) "맛"
조미료(調味料) / 구미(口味) / 음미(吟味) /
무미(無味) / 별미(別味)

20. 문답(問答): 물음과 대답

대립 어휘 58. 질문(質問) : 대답(對答)
대립 어휘 59. 문제(問題) : 해답(解答)
대립 어휘 60. 문답(問答)과 사자성어

같은 소리 다른 한자

문(文) "글월"
주문(注文) / 논문(論文) / 문서(文書) / 문장(文章) /
문화(文化) / 문학(文學) / 문명(文明)
답(踏) "밟다"
답습(踏襲) / 답보(踏步) / 답사(踏査)

10장

—

19. 두미(頭尾): 머리와 꼬리

20. 문답(問答): 물음과 대답

[모국어 열쇠 10] 숫자를 포함하는 속담과 격언

우리말 바로 쓰기 교실 ⑩ 주어와 서술어 바로 쓰기

19

머리와 꼬리

두(頭) 미(尾)

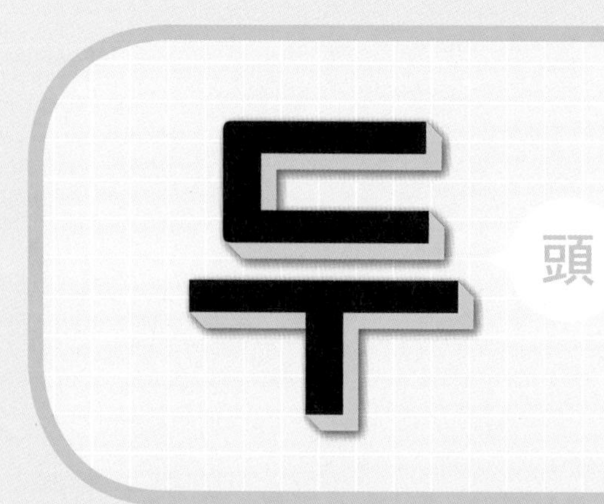

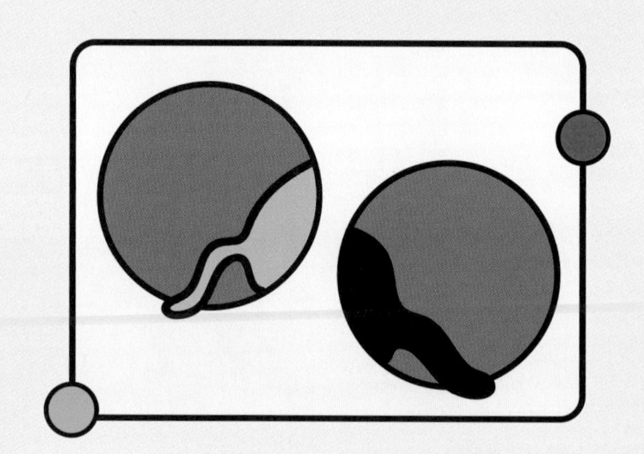

두미는 머리와 꼬리를 나타내는 대립 개념입니다. 글 구조, 대열, 문법 용어와 관련된 낱말에서 **두(頭)**와 **미(尾)**가 대립합니다.

두미가 대립하는 표현

두괄식	미괄식
접두사	접미사
서두	말미

선두	후미
어두육미 (魚頭肉尾)	
철두철미 (徹頭徹尾)	

용두사미 (龍頭蛇尾)
거두절미 (去頭截尾)
유두무미 (有頭無尾)

대립 어휘 55

두괄식(頭括式) : 미괄식(尾括式)

난이도 ✻✻
〈국어〉

글의 앞부분에 주제 문장이 있으면 **두**괄식,
뒷부분에 있으면 **미**괄식

주제 쓰기

한국어는 미괄식, 영어는 두괄식

한 문단 또는 전체 글의 주제가 글의 앞쪽이나 첫 문장에 있으면 **두괄식** 표현입니다. 반대로 주제가 되는 문장이 문단의 끝이나 글의 뒤쪽에 있으면 **미괄식** 글입니다. 글을 쓰는 사람이 두괄식으로 쓸지 아니면 미괄식으로 쓸지를 결정합니다. 두괄식에서는 주제 문장이 먼저 나와서 예와 설명으로 주제를 뒷받침해야 합니다. 반면 미괄식은 충분한 예와 설명으로 마지막에 나오는 주제를 뒷받침합니다.

말과 글에서 두괄식과 미괄식 중에서 어느 것이 더 좋을까요? 사람에 따라서 말과 글에서 두괄식과 미괄식 중 선호하는 경향에 차이가 있지만, 언어에 따라서 차이가 나타나기도 합니다. 일반적으로 영어로 쓰인 단락과 글은 대부분 두괄식입니다. 영어에서는 처음 나오는 문장 또는 앞 부분을 이해하지 못하면 전체 내용을 이해하는 데 큰 어려움을 겪게 됩니다. 한국어로 쓰인 글은 대체로 미괄식입니다. 그래서 한국어로 쓰인 글은 마지막 부분을 먼저 읽고 내용을 살펴보는 방법이 더 효율적일 경우도 있습니다. 둘 중에서 어느 것이 더 효율적으로 의사를 전달하는 방법인지에 대해 이견이 있습니다. 최근에는 한국어로 쓰인 글에도 미괄식보다 두괄식이 많이 사용됩니다. 여러분은 글쓰기와 말하기에서 두괄식과 미괄식 중에서 어느 쪽을 더 선호하나요? 그리고 선호하는 이유는 무엇인가요?

핵심 낱말

대립 어휘 표현

두괄식 글 : 미괄식 글 | 두괄식 영어 : 미괄식 한국어

주제 쓰기

핵심 낱말

대립 어휘 56

난이도 ***
〈통합〉

용두사미(龍頭蛇尾)

용의 머리와 뱀의 꼬리

용의 꼬리와 뱀의 머리 중에서 어느 것이 좋을까?

머리는 용이고 꼬리는 뱀이 **용두사미**입니다. 이 사자성어는 시작이나 출발은 좋았지만 갈수록 나빠짐을 비유적으로 표현합니다. 마라톤 경기에서 처음부터 일등으로 달리는 사람이 우승을 하는 일은 거의 없습니다. 마라톤은 마지막까지 잘 달리기 위해서 처음부터 힘을 조절하는 지혜가 필요한 경기입니다.

용의 머리와 뱀의 꼬리는 각각 훌륭함과 하찮음의 상징적 표현입니다. 최근에 용두사미 대신 '용의 꼬리'와 '뱀의 머리'라는 표현이 자주 사용되고 있습니다. 자동차, 반도체, 조선처럼 큰 규모 사업을 용, 이들에 비해서 아주 작은 규모의 사업을 뱀에 비유해서 나온 표현입니다. 사람들은 용의 꼬리보다는 뱀의 머리가 낫다고 합니다. 대규모 사업에서 4등 이하보다 소규모 사업에서 1등이 경제적으로 더 많은 이익을 얻을 수 있기 때문입니다. 일반적으로 한 분야에서 기업은 3등까지만 살아남는다고 합니다. 규모가 큰 사업 분야에서 경쟁을 이기고 3등 이내에 드는 일이 쉽지 않습니다. 차라리 규모가 작은 사업에서 1등을 하기가 더 쉽습니다. 그래서 창업자나 벤처 기업은 작은 규모의 사업에서 성공 가능성이 더 높습니다. 여러분이 창업을 한다면 용의 꼬리와 뱀의 머리가 되는 사업 중에서 어느 영역에 도전을 하고 싶은가요?

대립 어휘 표현

사자성어: 용두사미 | 어두육미 | 철두철미 | 거두절미

대립 어휘 57

난이도 ***
〈국어〉

접두사(接頭辭) : 접미사(接尾辭)

어근의 앞에 붙이면 접**두**사, 뒤에 붙이면 접**미**사

주제 쓰기

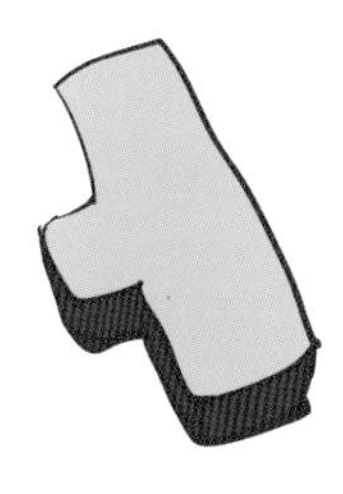

어근과 접사는 어떻게 구별할까?

'파랗다'와 '벌겋다'에 접두사 '새'와 '시'를 붙이면 새로운 낱말 '새파랗다'와 '시벌겋다'가 됩니다. 이처럼 **접두사**는 단어 앞에 붙어서 의미를 더해 줍니다. 반대로 **접미사**는 단어 끝에 붙어서 새로운 낱말을 만들어 냅니다. 예를 들면 동물, 식물에 접미사 '원'이 붙으면 '동물원'과 '식물원'이 됩니다. 동물원과 식물원은 동물과 식물이 모여 있는 공원입니다.

문법에서 어근과 접사가 구별됩니다. 동물, 식물, 파랗다, 벌겋다 등은 하나의 어근으로 된 단어입니다. '동물원, 식물원, 새파랗다, 시벌겋다'는 어근에 접미사와 접두사가 붙은 파생어입니다. 어근과 접사는 동물과 동물원을 구별하기 위해서 필요한 말입니다. 어근은 '낱말의 뿌리'라는 뜻으로 낱말에서 뿌리는 나무의 뿌리와 유사한 개념입니다. 문법에서 쓰이는 용어는 왜 그렇게 복잡해 보일까요? 그렇지만 문법 용어와 개념은 미래의 학습을 위해서 반드시 알아야 할 지식입니다.

핵심 낱말

대립 어휘 표현

접두사 파생어 : 접미사 파생어 | 접두사 첨가 : 접미사 첨가 | 접두사 유형 : 접미사 유형

같은 소리 다른 한자

다음 한자를 익히고 예문의 빈칸을 채워 봅시다.

정답 p.238

두(豆) : 콩

두부 (豆腐) – 콩을 갈아서 물과 끓인 다음 간수를 넣어 단단하게 만든 식품.
두유 (豆乳) – 콩을 갈아서 물과 함께 끓인 음료.
연두색 (軟豆色) – 완두콩의 색깔과 같이 연한 초록색.

① 우유는 동물성이고 ________ 는 식물성이다.

② 순두부찌개와 그냥 ________ 찌개는 어떤 차이가 있을까?

③ ________ 은 완두콩의 색깔과 비슷해서 콩을 의미하는 두(豆)가 포함된 말이다.

미(味) : 맛

조미료 (調味料) – 음식의 맛을 더해주는 재료.
구미 (口味) – 음식을 먹고 싶은 충동으로 일에 대한 의욕이나 흥미에도 쓰임.
음미 (吟味) – 사물이나 개념의 맛을 느낌.
무미 (無味) – 맛이 없음.
별미 (別味) – 특별히 좋은 맛 또는 음식.

④ 매일 같은 일만 반복하면 삶이 ________ 건조해진다.

⑤ 벌교는 사람들이 ________ 로 여기는 짱뚱어탕과 참꼬막으로 유명하다.

⑥ 우리 식당에서는 화학 ________ 를 사용하지 않습니다.

⑦ 협상에서는 상대방의 ________ 를 당기는 제안을 해야 한다.

⑧ 그 젊은이는 전망이 좋은 카페에서 커피 향을 ________ 하며 생각에 잠겨 있었다.

기본 문제

정답 p.238

1

소리가 같은 한자 '두'(頭, 豆)에서 만들어진 어휘들입니다. 뜻이 같은 한자에서 만들어진 어휘들끼리 묶어서 써 보세요.

접두사 | 서두 | 선두 | 두부 | 연두색 | 어두 | 용두

㉠ 머리 **두(頭):**

㉡ 콩 **두(豆):**

2

소리가 같은 한자 '미'(尾, 味)에서 만들어진 어휘들입니다. 뜻이 같은 한자에서 만들어진 어휘들끼리 묶어서 써 보세요.

말미 | 선미 | 육미 | 어미 | 구미 | 음미 | 무미

㉠ 꼬리 **미(尾):**

㉡ 맛 **미(味):**

3

다음 어휘가 들어간 간단한 문장을 써 보세요.

선두:

두부:

별미:

문답은 물음과 대답을
나타내는 대립 개념입니다.
주로 토론, 시험 문제, 방문과
관련된 낱말 그리고 사자성어에서
문(問)과 **답(答)**이 대립합니다.

문답이 대립하는 표현

질문	대답
문의	**답**변
문제	해답

질문	응답
방문	**답**방
필문필답 (筆問筆答)	

우문우답 (愚問愚答)
자문자답 (自問自答)
동문서답 (東問西答)
우문현답 (愚問賢答)

대립 어휘 58

난이도 ✻✻
〈통합〉

질문(質問) : 대답(對答)

알고자 하는 바를 얻기 위해 말함이 질**문**,
상대가 묻거나 요구하는 것에 대해 말함이 대**답**

주제 쓰기

질문하는 자와 대답하는 자

공부는 새로운 것을 알기 위한 과정입니다. 물론 이미 알고 있는 것을 반복하는 복습도 학습에 속합니다. 반복은 기억을 되살리고 단기적으로 기억된 사실을 뇌에 장기 기억으로 변화시킵니다. 학습에서 가장 중요한 것은 무엇일까요? 바로 **질문**입니다. 질문은 정확하게 알지 못하는 것을 더 많이 알고 있는 사람에게 묻는 행위입니다.

질문은 반드시 친구, 부모, 선생님에게만 해야 할까요? 여러분이 궁금해 하는 내용에 대한 **대답**을 반드시 다른 사람에게서 들을 필요는 없습니다. 직접 책을 읽거나 인터넷에서 검색해서 답을 얻는 방법이 있습니다. 21세기 학습 방식은 옛날과 많이 다릅니다. 지식은 책이나 사람 머릿속에만 있지 않고 인터넷에 더 다양한 정보가 있습니다. 지금은 특정한 사람이 지식을 독점하는 시대가 아닙니다. 인터넷이 발달해서 많이 알고 있는 사람들도 지식을 무기로 삼을 수 없습니다. 그래서 현대 사회를 일컬어 "지구는 편평하다"고 합니다. 여러분이 스스로 질문거리만 잘 찾으면 그 대답은 인터넷에 있습니다. 높은 산에는 등산 전문가들만 오르지만, 지식의 산은 편평해서 누구나 오를 수 있습니다. 여러분은 궁금한 것이 있을 때 얼마나 자주 인터넷을 활용하고 있나요?

핵심 낱말

대립 어휘 표현

어리석은 질문 : **현명한 대답** | 시청자 질문 : **참석자 대답**

주제 쓰기

핵심 낱말

대립 어휘 59

난이도 ✻✻
〈수학〉

문제(問題) : 해답(解答)

해답을 요구하는 물음이 **문**제,
질문이나 의문을 풀이함이 해**답**

수학 공부는 왜 해답을 보면 의미가 없을까?

왜 어려운 수학을 배워야 할까요? 거스름돈을 계산하거나, 초등학교 저학년 수준의 덧셈과 뺄셈 능력만 있으면 충분하다고 생각하는 사람들도 있습니다. 그러면 왜 학문 역사에서 수학을 늘 가장 중요한 과목으로 가르쳤을까요? 초등학교에서 배우는 덧셈과 뺄셈 그리고 곱셈과 나눗셈은 수학이 아니라 산수입니다. 수학은 수에 대한 사고 활동의 학문입니다. 수학에서는 경우의 수를 따집니다. 서울에서 부산까지 가는 방법의 수는 정말로 많습니다. 서울에서 강릉을 거쳐가도 되고, 목포를 거쳐서 가도 됩니다. 가장 빠른 길은 직선으로 가는 방법입니다. 여러 가지 경우의 수 중에서 최선의 방법을 찾아내는 학문이 수학입니다.

수학 공부에서는 **문제**를 해결하는 다양한 경우의 수를 생각해 보는 과정이 중요합니다. 수학 공부를 하면서 문제가 어렵다고 풀기 전에 **해답**을 먼저 보면 경우의 수를 생각할 기회가 없어집니다. 해답을 보고 수학 문제를 풀면 아무리 많은 문제를 풀어도 수학적 사고력이 향상되지 않습니다. 해답을 보고 문제 100개를 푸는 것보다 한 문제에 대해서 100번 생각해 보는 것이 수학적 사고력을 키우는 방법입니다. 해답을 보고 문제를 푼 사람과 문제 풀이 방법을 듣고 계산만 열심히 하는 사람은 나중에 수학에 흥미를 잃게 됩니다. 미래에 수학을 잘하기 위해서는 지금 배우고 있는 단원의 다양한 응용 문제를 스스로 생각해서 풀어 보아야 합니다. 수학 공부에서는 정답을 맞추는 것보다 생각하는 과정이 더 중요합니다. 여러분이 지금까지 풀었던 수학 문제 중에서 하루 이상 생각해 본 문제가 있는지요?

대립 어휘 표현

문제지 : **해답지** | 문제 제기 : **해답 제시** | 문제 풀이 : **해답 비교**

대립 어휘 60

난이도 ✻✻✻
〈국어〉

문답(問答)과 사자성어

동문서답, 자문자답, 필문필답,
우문현답, 우문우답

주제 쓰기

질문과 답변은 항상 일치할까?

질문한 내용에 늘 올바른 답변이 돌아오지는 않습니다. 때로는 질문과 상관없는 엉뚱한 답변을 듣게 됩니다. **동문서답**은 '동쪽을 묻는데 서쪽을 답한다'는 뜻으로 묻는 말과 전혀 관계가 없는 엉뚱한 대답을 이르는 말입니다. 동문서답을 하면 질문에 무관심하거나, 질문을 무시하는 행동이 됩니다. 가능하면 다른 사람의 질문에 성실한 답변을 하는 습관을 기르는 것이 좋습니다. 우문현답이라는 표현도 있습니다. **우문현답**은 '어리석은 질문에 현명한 답을 한다'는 뜻입니다. 질문자가 본질을 잘 모르고 물어도 현명한 답변자가 질문 내용에 포함되지 않은 핵심 내용까지 포함해서 답을 해 줍니다. 질문도 어리석고, 답변도 어리석은 경우는 **우문우답**이라고 합니다.

일반적으로 질문과 대답은 말하는 상대와의 대화로 이루어집니다. '혼자서 질문하고 혼자서 대답한다'는 뜻을 가진 **자문자답**은 마음속으로 대화함을 뜻합니다. 그리고 글로 써서 질문하고 대답함이 **필문필답**입니다. 피의자가 검사의 질문에 대답하지 않아도 되는 권리가 묵비권입니다. 묵비권은 말을 함으로써 오히려 자기에게 불리하다고 생각하면 진술하지 않아도 되는 피의자의 권리입니다. 여러분은 교실에서 현명한 대답을 잘하고 있는지요? 여러분이 선생님 질문에 대답하지 않는 것은 묵비권이 아닙니다. 여러분은 피의자가 아니고, 대답을 했다고 불이익을 받지도 않습니다. 수업 시간에는 가능하면 활발하게 자기 의견을 표현해야 더 발전할 수 있습니다.

핵심 낱말

대립 어휘 표현

사자성어: 동문서답 | 우문현답 | 우문우답 | 필문필답 | 자문자답

같은 소리 다른 한자

다음 한자를 익히고 예문의 빈칸을 채워 봅시다.

정답 p.238

문(文) : 글월

주문 (注文) – 요구하거나 부탁함.
논문 (論文) – 논리적으로 연구해서 쓴 글.
문서 (文書) – 글로 의사나 생각을 표현한 것.
문장 (文章) – 주어와 서술어로 구성된 하나의 생각 단위.
문화 (文化) – 인간의 삶의 양식.
문학 (文學) – 사상과 생각을 언어로 표현한 예술.
문명 (文明) – 물질적, 기술적, 사회적으로 발전한 상태.

① 질병 연구회에서 신종 바이러스에 대한 ________ 을 세계적 학술지에 실었다.

② 요즘에는 자기 생각을 적은 ________ 를 컴퓨터에 보관한다.

③ 짜장면을 ________ 했는데 짬뽕을 가지고 왔다.

④ 좋은 글에는 한 ________ 도 허투루 쓰인 것이 없다.

⑤ 세계 4대 ________ 의 발상지는 메소포타미아, 인더스, 이집트, 황하이다.

⑥ 한류 열풍이 불면서 한국 ________ 에 관심을 갖는 외국인들이 늘어났다.

⑦ 어른이 아동용 ________ 작품을 읽어도 재미가 있을까?

답(踏) : 밟다

답습 (踏襲) – 전해 내려온 방식을 그대로 따라 함.
답보 (踏步) – 같은 자리에서 걸음. (= 제자리 걸음)
답사 (踏査) – 실제로 현장에서 조사함.

⑧ 새로운 드라마 방영으로 ________ 상태에 있던 시청률이 급격히 상승했다.

⑨ 새로운 인물들도 구시대 정치의 ________ 에서 벗어나지 못하고 있다.

⑩ 신라 역사를 배우기 위해서 우리는 경주로 ________ 를 떠났다.

기본 문제

정답 p.238

1 소리가 같은 한자 '문'(問, 文)에서 만들어진 어휘들입니다. 뜻이 같은 한자에서 만들어진 어휘들끼리 묶어서 써 보세요.

주문 | 질문 | 논문 | 문제 | 문의 | 문서

㉠ 묻다 **문(問):**

㉡ 글월 **문(文):**

2 소리가 같은 한자 '답'(答, 踏)에서 만들어진 어휘들입니다. 뜻이 같은 한자에서 만들어진 어휘들끼리 묶어서 써 보세요.

답습 | 답변 | 대답 | 해답 | 답사 | 답보

㉠ 답하다 **답(答):**

㉡ 밟다 **답(踏):**

3 다음 어휘가 들어간 간단한 문장을 써 보세요.

문제:

답변:

답습:

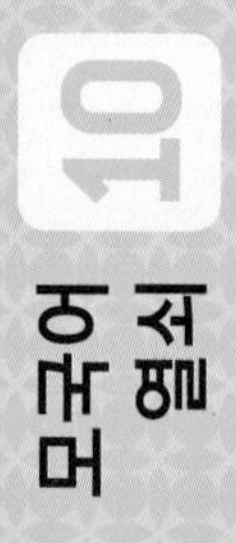

정답 p.238

숫자를 포함하는 속담과 격언

우리말에는 숫자를 포함하고 있는 다양한 속담과 격언이 있습니다. 숫자를 포함하는 표현을 익히고 그 정확한 의미를 살펴봅시다.

하나와 둘

하룻강아지 범 무서운 줄 모른다.

하룻강아지는 태어난 지 하루 지난 강아지이고 범은 호랑이입니다. 당연히 호랑이가 이깁니다. 상대도 안되는데 철없이 함부로 덤비는 모양을 말합니다.

한 치 건너 두 치

한 치는 약 3cm입니다. 성인의 손가락 한 마디를 조금 넘는 길이에 불과합니다. 상황에 따라 다르지만 그 정도 차이라면 큰 차이는 아니지요. 한 치 건너 두 치라 함은 어떤 일의 차이가 별로 없음을 비유하는 데 쓰입니다.

천 리 길도 한 걸음부터

1리는 약 400m이고, 천 리는 약 400km입니다. 서울과 부산 사이 거리쯤 됩니다. 성인 남자가 걷는 속도가 시속 4~6km 정도입니다. 즉 천 리는 성인 남자가 쉬지 않고 70~100시간을 걸어야 도달하는 먼 거리입니다. 그렇게 먼 거리도 첫 걸음부터 시작해야 합니다. 즉 무슨 일이든 그 시작이 중요하다는 뜻입니다.

첫 숟가락에 배부르랴.

밥을 한 숟가락 먹었다고 배가 부를 수는 없다는 의미입니다. 모든 일의 시작 단계에서 많은 것을 얻으려고 하지 말고 꾸준히 해야 성과가 나온다는 뜻입니다.

말 한 마디에 천 냥 빚도 갚는다.

천 냥은 매우 큰 금액의 돈을 뜻합니다. 그 정도의 빚도 말로 갚을 수 있습니다. 말의 중요성을 강조하는 속담입니다. 항상 고운 말을 쓰도록 노력합시다.

하나만 알고 둘은 모른다.

사물의 한 측면만 보고 두루 살피지 못한다는 의미입니다. 도무지 융통성이 없고 미련하다는 뜻입니다.

미운 아이[놈] 떡 하나 더 준다.

착한 아이한테 떡을 주어야 할 것 같은데, 이상하지요? 이 말은 미운 사람일수록 잘해주고 감정을 쌓지 말아야 한다는 의미입니다. 모두와 두루두루 잘 지내야 한다는 조상의 지혜가 전해지는 속담입니다.

셋

세 살 버릇 여든까지 간다.

어릴 적 몸에 밴 버릇은 늙어 죽을 때까지 고치기 힘듭니다. 그러므로 어려서부터 올바른 습관을 몸에 익혀야 합니다.

내 코가 석 자

여기서 말하는 코는 콧물이고, 석 자는 약 1미터입니다. 콧물이 흘러 1미터에 달하면 그걸 닦느라 바쁘겠지요? 내 사정이 급해서 남을 도울 여유가 없다는 의미입니다.

서당개 삼 년이면 풍월을 읊는다.

서당은 우리 조상들이 글공부를 하던 곳입니다. 풍월은 '음풍농월'의 준말입니다. 바람을 노래하고 달을 희롱한다는 뜻으로 우리 조상들이 글을 짓던 모습을 가리킵니다. 우리 조상들은 자연에서 영감을 받아 글을 썼거든요. 즉 서당개 삼 년이면 한시를 지을 수도 있다는 뜻으로, 보고 들은 것이 많으면 자연스럽게 그 일을 하는 능력이 생긴다는 의미입니다.

구슬이 서 말이라도 꿰어야 보배다.

매우 훌륭하고 좋은 것이라도 다듬고 정리하여 쓸모 있게 만들어 놓아야 값어치가 있다는 의미입니다. 아무리 비싼 구슬이라도 사용하지 않으면 가치가 없겠지요?

열

열 길 물 속은 알아도 한 길 사람 속은 모른다.

길은 사람 키 정도의 길이를 나타내는 단위입니다. 물은 들여다보면 어떤지 알지만, 사람의 마음 속을 헤아리기는 참으로 어렵습니다.

열 번 찍어 안 넘어가는 나무 없다.

무엇이든 끝까지 하면 반드시 하고자 하는 바를 이루게 됩니다. 꾸준한 노력이 중요합니다.

열 손가락 깨물어 안 아픈 손가락 없다.

부모에게 모든 자식은 모두 소중함을 의미합니다. 여기서 사용한 손가락은 아들과 딸을 상징하는 표현입니다.

모국어 열쇠 활용 문제

다음은 숫자가 들어 있는 우리말 속담과 격언입니다.
빈칸에 적당한 숫자를 써 넣으세요.

① ________ 살 버릇 ________까지 간다.

② ________ 번 찍어 안 넘어가는 나무 없다.

③ 내 코가 ________ 자.

④ ________ 길 물속은 알아도 ________ 길 사람 속은 모른다.

⑤ 구슬이 ________ 말이라도 꿰어야 보배다.

심화 문제

정답 p.239

1

다음 표에 대립하는 한자어로 빈칸을 완성해 봅시다.

두괄식		질문	
접두사		문의	
방문		해답지	
서두		문제	
후미 그룹		질의	

2

다음 문장에 알맞은 단어를 골라서 동그라미를 그려 봅시다.

㉠ 부모님께 드리는 편지의 **(서두 / 선두)**에 무슨 내용을 쓰면 좋을까?

㉡ 문의하신 제품에 대한 상세한 **(해답 / 답변)**을 보내드렸습니다.

㉢ 캠프에서 생선 바비큐를 해 먹는다니 말만 들어도 **(구미 / 무미)**가 당기는군요.

㉣ 그는 외국에서 박사 **(주문 / 논문)**을 쓰고 학위를 받았다.

㉤ 그 나라는 과거의 잘못된 관행을 **(답습 / 답보)**하다가 멸망했다.

㉥ 시작할 때는 큰소리치더니 결국엔 용두**(육미 / 사미)**로군.

우리말 바로 쓰기 교실 ⑩

주어와 서술어 바로 쓰기

정답 p.239

다음 예문들은 주어와 서술어가 올바르게 쓰이지 않은 어색한 문장입니다.
올바르게 고쳐서 써 보세요.

1	나는 오늘 엄마가 열심히 공부했다고 칭찬을 해 주셨다.	
2	우리가 배워야 할 점은 자식으로서의 도리를 해야 합니다.	
3	그 날은 우리 동아리의 마지막 공연이었다.	
4	학교에 따라서는 수요일에 운동 연습을 하는 곳도 있다.	
5	제주도는 서울보다 기온이 낮은 곳이다.	
6	우리는 선물을 받아서 기쁜 날이었다.	
7	오늘 비와 바람이 불겠으니 주의하시기 바랍니다.	
8	내일은 우리 학교가 개교 기념일이라서 학교에 가지 않는다.	
9	나는 살아 있다는 것이 얼마나 감사한 일이라는 것을 깨달았다.	
10	내 말은 네가 아직 젊으니 새로 도전해 보기 바란다.	

학습할 내용

21. 순역(順逆): 따름과 거스름

대립 어휘 61. 순풍(順風) : 역풍(逆風)

대립 어휘 62. 순종(順從) : 거역(拒逆)

대립 어휘 63. 순기능(順機能) : 역기능(逆機能)

같은 소리 다른 한자

순(純) "순수하다"

순수(純粹) / 단순(單純) / 불순(不純) / 온순(溫純) / 순정(純情)

역/력(力) "힘"

중력(重力) / 부력(浮力) / 저항력(抵抗力) / 역량(力量) / 역부족(力不足)

22. 음양(陰陽): 그늘과 볕

대립 어휘 64. 음성 모음(陰性 母音) : 양성 모음(陽性 母音)

대립 어휘 65. 음수(陰數) : 양수(陽數)

대립 어휘 66. 음성(陰性) : 양성(陽性)

같은 소리 다른 한자

음(音) "소리"

음치(音癡) / 음성(音聲) / 음향(音響) / 소음(騷音) / 방음(防音)

양(兩) "둘"

양측(兩側) / 양국(兩國) / 양서류(兩棲類) / 양면(兩面) / 양친(兩親)

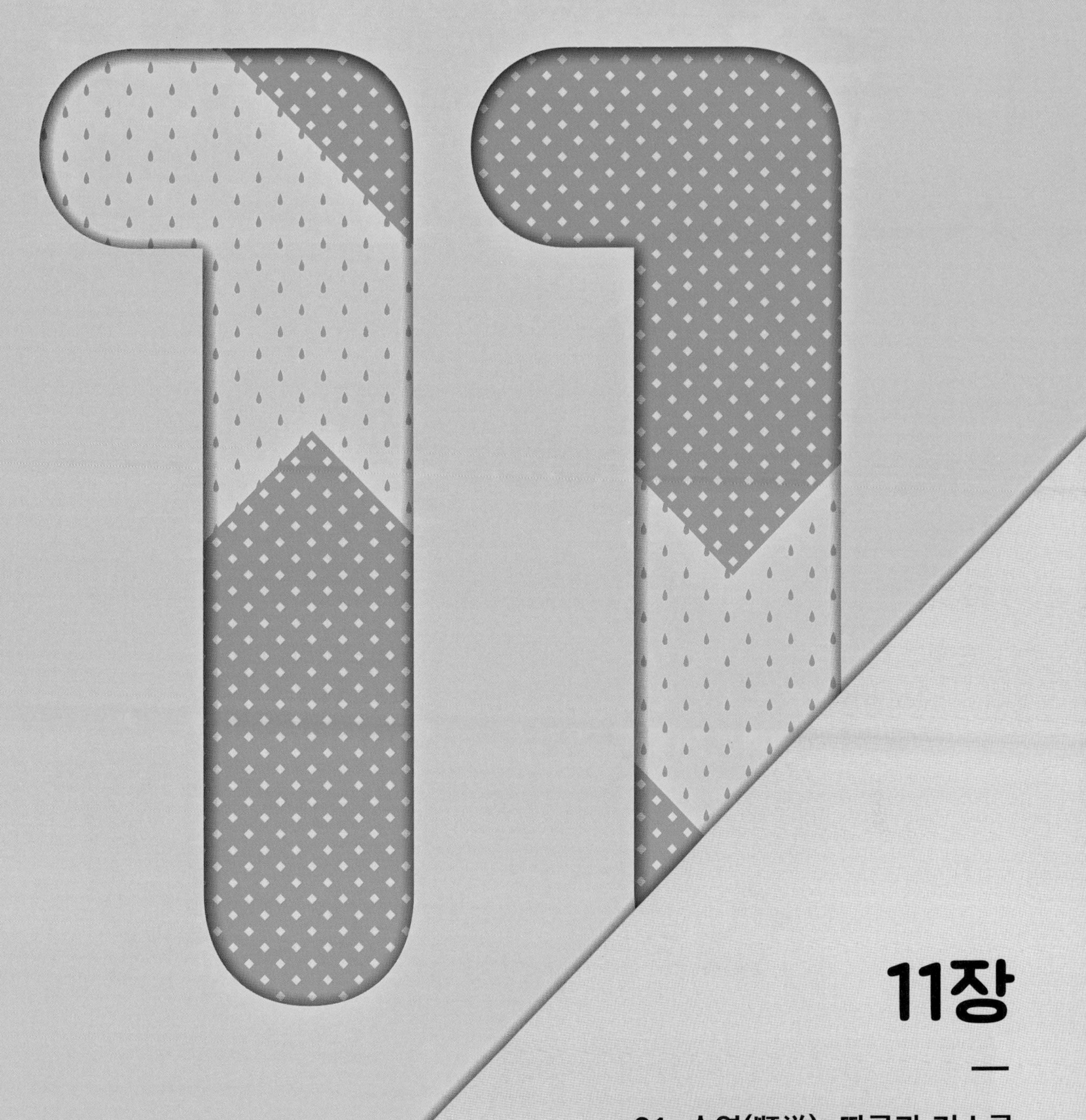

11장

—

21. 순역(順逆): 따름과 거스름

22. 음양(陰陽): 그늘과 볕

[모국어 열쇠 11] 색깔에 쓰이는 접두사

우리말 바로 쓰기 교실 ⑪ 서술어 바로 쓰기

순역은 어떤 것을 그대로 따름과 거스름의 대립 개념입니다.
주로 바람, 효과, 문법 용어, 순서 그리고 복종 여부와
관련된 낱말에서 순(順)과 역(逆)이 대립합니다.

순역이 대립하는 표현

순종	거역
순행	역행

순풍	역풍
순기능	역기능

순행 동화	역행 동화
순차적으로	역순으로
광고의 순기능	광고의 역기능

대립 어휘 61

난이도 ✻✻
〈통합〉

순풍(順風) : 역풍(逆風)

배가 가는 쪽으로 부는 바람이 **순**풍,
배가 가는 반대쪽 바람이 **역**풍

주제 쓰기

순풍에 돛을 달고 가듯이?

"순풍에 돛을 달고"라는 말은 일이 뜻한 바대로 순조롭게 잘 진행됨을 비유적으로 표현한 말입니다. 배가 가는 쪽으로 부는 바람이 **순풍**이고, 반대로 부는 바람이 **역풍**입니다. 등 뒤에서 바람이 불 때 공을 던지면 더 멀리 날아가고, 달리기를 하면 더 빨리 달릴 수 있습니다. 순풍에 배가 더 빠르게 가는 것과 같은 이치입니다. 반대로 역풍이 불 때는 배가 앞으로 진행하는 데 어려움을 겪게 됩니다. 일이 잘 진행되다가 장애물에 마주쳐서 나아가지 못할 때 "역풍을 맞았다"고 합니다.

우리말에서 역풍과 같은 말로 맞바람이 쓰입니다. 순풍과 역풍은 배의 진행 방향과 관련된 말입니다. 그렇지만 맞바람은 사람이나 물체의 진행 방향과 반대 방향으로 부는 바람이라는 뜻으로 폭넓게 쓰입니다. 골프 선수들은 맞바람이 불 때는 골프 공이 평소보다 적게 날아가기 때문에 더 멀리 칠 수 있는 클럽을 선택합니다. 배가 때로는 순풍을 타고, 때로는 역풍을 뚫고 항해하듯이, 사람의 삶에도 순조로운 때도 있고, 힘든 시기도 있습니다. 여러분은 역경을 이겨낼 준비가 되어 있나요?

핵심 낱말

대립 어휘 표현

순풍을 타고 : 역풍을 맞고 | 순풍 항해 : 역풍 항해

주제 쓰기

핵심 낱말

대립 어휘 62

난이도 *
〈도덕〉

순종(順從) : 거역(拒逆)

고분고분 따르는 것이 **순**종,
명령이나 뜻을 어기는 것이 거**역**

어른들의 말을 무조건 따라야 할까?

순종은 남의 말이나 명령을 고분고분 따르는 행동이고, **거역**은 따르지 않고 거부하는 행동입니다. 우리 문화에서는 순종이 미덕이었습니다. 그래서 아내는 남편에게, 자녀는 부모에게, 제자는 스승에게, 아랫사람은 윗사람에게, 하급자는 상급자에게 순종할 것을 가르쳐 왔습니다. 부모나 윗사람의 말을 거역하는 행동은 비난을 받아야 했습니다. 순종이 언제나 미덕일까요? 순종이 언제나 좋은 것은 아닙니다. 어른이나 윗사람의 의견이 비합리적이면 당당하게 거부할 수 있는 사람이 되어야 합니다. 물론 반드시 타당한 근거로 자기 의견의 정당성을 주장하면서 거역해야 하겠지요. 무조건 거역하는 행동은 옳지 않습니다.

겉으로 순종하는 척하고 실제로는 거역하는 것이 가장 옳지 못한 행동입니다. 그리고 잘 알지 못하면서 감정적으로 거역하는 행동도 옳지 않습니다. 부모님과 선생님은 여러분보다 훨씬 더 많은 삶을 살았고, 경험도 많습니다. 그 경험을 바탕으로 여러분에게 해 주는 이야기는 한 번쯤 깊이 생각해 볼 가치가 있습니다. 순종이 반드시 미덕이 아닌 것처럼, 무조건 거역하는 것도 올바른 행동이 아닙니다. 순종할 것은 순종하고 거역할 것은 거역하는 현명한 사람이 되어야 합니다. 여러분이 부모님의 말씀 중에 무엇을 거역하고 있나요? 여러분의 거역이 옳다고 생각한다면 그 이유는 무엇인가요?

대립 어휘 표현

명령 순종 : **명령 거역** | 변화에 순종 : **변화를 거역**

대립 어휘 63

난이도 **
〈통합〉

순기능(順機能) : 역기능(逆機能)

좋은 방향으로 작용하는 기능이 **순**기능,
목적과 반대되는 방향으로 작용하는 기능이 **역**기능

주제 쓰기

순기능과 역기능 중 무엇이 더 중요할까?

TV에 나오는 광고는 어떤 기능이 있을까요? 사람들은 광고를 통해서 새로운 제품에 대한 정보를 얻고, 기업은 홍보를 해서 제품을 많이 팔게 됩니다. 또한 광고를 제작한 대가로 광고 회사가 돈을 법니다. 이처럼 광고가 좋은 방향으로 작용하면 광고의 **순기능**입니다. 그렇지만 순기능이 있으면 역기능도 공존합니다. 기업이 TV 광고에 많은 비용을 들이면 소비자는 비싼 값에 물건을 사야 합니다. 광고가 소비자에게 나쁜 방향으로 작용하는 광고의 **역기능**입니다.

컴퓨터 게임도 재미를 주는 놀이로서 순기능도 있지만, 과도하게 집중하여 게임 중독에 빠지게 하는 역기능도 있습니다. 도로, 아파트, 터널 건설에도 사람들에게 생활의 편의를 제공하는 순기능과 환경 파괴라는 역기능이 공존합니다. 어떤 일을 추진할 때는 순기능과 역기능을 고려하여 신중하게 결정해야 합니다. 순기능만 강조하면 심각한 문제가 생길 수 있고, 역기능만 강조하면 어떤 일도 추진하지 못합니다. 여러분이 하고 있는 일 중에서 하나를 선택해서 그 일이 지닌 순기능과 역기능이 무엇인지 정리해 보세요.

핵심 낱말

대립 어휘 표현

개발의 순기능 : 개발의 역기능 | 언론의 순기능 : 언론의 역기능

같은 소리 다른 한자 다음 한자를 익히고 예문의 빈칸을 채워 봅시다.

정답 p.239

순(純) : 순수하다

순수 (純粹) – 다른 것이 섞이지 않음.
단순 (單純) – 복잡하지 않고 간단함.
불순 (不純) – 순수하지 않음.
온순 (溫純) – 성격이 온화하고 순수함.
순정 (純情) – 순수한 감정이나 애정.

① 수돗물은 정화 장치를 이용해서 ________물을 제거한 후 각 가정에 보내진다.

② 참여 문학과 ________ 문학을 구별하는 기준은 무엇일까요?

③ 자전거는 ________해 보이지만 매우 다양한 원리가 적용된 제품이다.

④ 황순원의 '소나기'는 소년과 소녀의 ________을 주제로 한 소설이다.

⑤ 강아지는 주인에게 ________한 동물이라서 반려 동물로 인기가 있다.

력/역 (力) : 힘

중력 (重力) – 물체가 지구 내부로부터 받는 힘.
부력 (浮力) – 물체가 위로 뜨려는 힘.
저항력 (抵抗力) – 버티거나 방해하는 힘.
역량 (力量) – 일을 감당하여 해내는 힘.
역부족 (力不足) – 힘이 모자람.

⑦ 물에 닿는 면적이 클수록 ________이 커진다.

⑧ 노인과 아동은 일반 성인보다 질병에 대한 ________이 떨어집니다.

⑨ 달의 ________은 지구의 6분의 1에 불과하다.

⑩ 인재 발굴에 ________을 집중하는 기업의 성공 가능성이 높다.

⑪ 적은 병력으로 100만이 넘는 중공군을 막아내기에는 ________이었다.

기본 문제

정답 p.239

1

소리가 같은 한자 '순'(順, 純)에서 만들어진 어휘들입니다. 뜻이 같은 한자에서 만들어진 어휘들끼리 묶어서 써 보세요.

순행 | 순풍 | 순수 | 순리 | 순종 | 단순 | 불순 | 순정

㉠ 차례, 유순하다 **순(順):**

㉡ 순수하다 **순(純):**

2

소리가 같은 한자 '역'(逆, 力)에서 만들어진 어휘들입니다. 뜻이 같은 한자에서 만들어진 어휘들끼리 묶어서 써 보세요.

중력 | 역행 | 역기능 | 부력 | 거역 | 저항력 | 역리 | 역량

㉠ 거스르다 **역(逆):**

㉡ 힘 **력/역(力):**

3

다음 어휘가 들어간 간단한 문장을 써 보세요.

거역:

순수:

순풍:

음양(陰陽)은 어둠과 밝음을 나타내는 대립 개념입니다. 주로 달과 태양, 어둠과 밝음, 수 분류, 파임과 돋음에 관련된 낱말에서 **음(陰)**과 **양(陽)**이 대립합니다.

음양이 대립하는 표현

음	양
음지	양지
음력	양력
음성	양성

음	양
음극	양극
음각(陰刻)	양각(陽刻)
음수	양수

음	양
음이온	양이온
음기	양기
음성 반응	양성 반응
음성 모음	양성 모음

대립 어휘 64

음지(陰地) : 양지(陽地)

난이도 ✽✽
〈통합〉

볕이 잘 들지 않는 그늘진 곳이 **음**지,
볕이 잘 드는 곳이 **양**지

주제 쓰기

음지가 양지 되고 양지가 음지 될 날 있다?

볕이 잘 들지 않는 그늘진 곳이 **음지**이고, 볕이 바로 드는 곳이 **양지**입니다. 음지는 응달, 양지는 양달과 동의어입니다. 이끼, 버섯, 고사리 등은 음지에서 잘 자라는 음지 식물입니다. 음지와 양지는 볕이 잘 드느냐를 기준으로 정해집니다. 그런데 음지와 양지가 비유적으로 쓰이기도 합니다. 사회에서 혜택을 입지 못하는 처지를 음지, 많은 혜택을 받아서 경제적, 물질적으로 윤택한 처지를 양지라고 표현합니다. 양지와 음지의 사람들이 서로 배려하는 마음이 있어야 지구촌에 살고 있는 모든 사람이 행복하겠지요.

"음지가 양지 되고 양지가 음지 될 날 있다"는 말은 무슨 뜻일까요? 음지와 양지의 처지가 바뀔 수 있다는 말입니다. 역경에 처한 사람도 행운이 찾아 오면 음지에서 벗어나게 됩니다. 친구가 힘이 약하다고 괴롭히거나, 공부를 못한다고 무시하다가 나중에 처지가 바뀌면 똑같은 대우가 돌아오겠지요. 땅에는 음지와 양지가 따로 있지만, 삶에서는 음지와 양지가 바뀔 수 있습니다. 더 나은 위치에 있을 때 나보다 못한 위치에 있는 타인을 배려하는 마음이 필요합니다. 여러분은 음지에 있는 친구를 배려하고 있나요?

핵심 낱말

대립 어휘 표현

음지 식물 : 양지 식물 | 추운 음지 : 따뜻한 양지

주제 쓰기

대립 어휘 65

난이도 ***
〈수학〉

음수(陰數) : 양수(陽數)

0보다 작은 수가 **음수**, 0보다 큰 수가 **양수**

핵심 낱말

0과 1은 왜 특별한 수일까?

우리가 일상생활에서 사용하는 실수는 허수와 대립합니다. 실수는 실제로 존재하는 수로 무리수와 유리수로 구별됩니다. 허수는 고등학교에서, 무리수는 중학교에서 배우는 내용입니다. 초등학생은 유리수까지 알면 되지요. 유리수는 다시 분수와 정수로 나뉩니다. 1/3, 3/5 등이 분수입니다. 그리고 정수에는 자연수와 - 자연수 그리고 0이 포함됩니다.

음수는 마이너스(-)로 표시를 하고 **양수**는 표시를 하지 않습니다. 같은 크기의 양수와 음수를 더하면 -1 + 1 = 0, -2 + 2 = 0과 같이 항상 0이 됩니다. 어떤 수든 1을 곱하면 항상 같은 수가 됩니다. 0과 1은 매우 특별한 수입니다. 모든 수에 0을 더하거나 빼도 같은 수가 되고, 0을 곱하면 항상 0이 됩니다. 그렇지만 어떤 수도 0으로 나눌 수 없습니다. 그래서 분수에서 분모는 절대로 0이 될 수 없습니다. 그리고 모든 수에 1을 곱하거나 1로 나누어도 같은 수가 됩니다. 왜 분모는 0이 될 수 없을까요?

대립 어휘 표현

음수 집합 : **양수 집합** | 음의 정수 : **양의 정수**

대립 어휘 66

음성(陰性) : 양성(陽性)

난이도 ***
〈통합〉

특별한 징후가 드러나지 않으면 **음**성,
드러나면 **양**성

주제 쓰기

질병 검사에서 양성이면 병에 걸린 것일까?

결핵균의 감염 여부를 조사하기 위한 방법은 다양합니다. 약을 투입해서 밖으로 어떤 변화가 일어나면 **양성**, 드러나지 않으면 **음성**입니다. 양성은 몸에 균이 있을 때, 음성은 균이 없을 때 나타납니다. 결핵, 에이즈 검사에서 양성 반응이 나오면 치료해야 합니다. 닭과 오리의 전염병 조류인플루엔자(AI)나 소·돼지·양·사슴 등 발굽이 두 개로 갈라진 동물에서 발생하는 구제역바이러스 검사에서도 바이러스에 감염된 동물은 양성 반응을 보입니다. 조류인플루엔자와 구제역은 아직까지 치료 방법이 없는 무서운 병입니다.

그렇지만 모든 검사에서 양성 반응이 나왔다고 다 병에 걸린 것이 아닙니다. 간염을 예방하기 위해서 A형과 B형 간염 항체 검사를 합니다. 간염 항체 검사에서 양성은 병에 걸렸다는 의미가 아닙니다. 항체 검사는 간염균에 대항하는 바이러스, 즉 항체가 있는지에 대한 검사입니다. 그래서 간염 항체 검사에서 양성이면 우리 몸에 항체가 있어서 간염에 걸리지 않는다는 의미입니다. 그러면 간염 항체 검사에서 음성은 무슨 뜻일까요? 이 검사에서 음성은 간염에 걸렸다는 의미가 아니라 우리 몸에 항체가 없다는 뜻입니다. 간염 항체 검사에서 음성 판정을 받은 사람은 항체 주사로 간염을 예방할 수 있습니다. 여러분은 병원에서 어떤 예방 주사를 맞아 보았나요?

핵심 낱말

대립 어휘 표현

음성 판정 : 양성 판정 | 음성 반응 : 양성 반응

같은 소리 다른 한자

다음 한자를 익히고 예문의 빈칸을 채워 봅시다.

정답 p.239

음(音) : 소리

음치 (音癡) – 소리 감각이 떨어져서 음을 바르게 인지하거나 내지 못하는 사람.
음성 (音聲) – 사람의 목소리나 말소리.
음향 (音響) – 물체에서 나는 소리와 그 울림.
소음 (騷音) – 불쾌하고 시끄러운 소리.
방음 (防音) – 소리가 들리지 않도록 막음.

① ________ 장비로 초음파를 이용해서 바닷속 물고기의 위치를 탐지한다.

② 사람의 ________은 동물이 내는 소리와 무엇이 다를까?

③ 내 친구는 ________지만 노래방에서 언제나 제일 많은 곡을 부른다.

④ 옆 집에서 ________ 장치를 해서 피아노 소리가 들리지 않는다.

⑤ 아파트의 층간 ________은 서로 친해지면 문제가 되지 않는다.

양(兩) : 둘

양측 (兩側) – 서로 갈라져 있는 두 편.
양국 (兩國) – 서로 관계가 있는 두 나라.
양서류 (兩棲類) – 개구리, 도롱뇽과 같이 땅과 물 양쪽에서 서식하는 동물.
양면 (兩面) – 대립하는 두 면.
양친 (兩親) – 아버지와 어머니를 아울러 이르는 말.

⑥ 한국과 중국, 한국과 미국은 동전의 ________처럼 서로 뗄 수 없는 관계에 있다.

⑦ 고아는 ________을 모두 여읜 사람들이다.

⑧ 개구리는 물과 뭍을 오가면서 사는 ________를 대표하는 동물이다.

⑨ 사회자는 토론하는 ________의 의견을 모두 수렴해서 결론을 내렸다.

⑩ 미국과 중국이 경쟁하면서 ________ 간의 관계는 항상 긴장 상태에 있다.

기본 문제

정답 p.239

1

소리가 같은 한자 '음'(陰, 音)에서 만들어진 어휘들입니다. 뜻이 같은 한자에서 만들어진 어휘들끼리 묶어서 써 보세요.

음력 | 음치 | 음수 | 음극 | 음향 | 음지 | 소음 | 방음

㉠ 그늘 **음(陰):**

㉡ 소리 **음(音):**

2

소리가 같은 한자 '양'(陽, 兩)에서 만들어진 어휘들입니다. 뜻이 같은 한자에서 만들어진 어휘들끼리 묶어서 써 보세요.

양측 | 양력 | 양국 | 양극 | 양수 | 양서류 | 양성 | 양면 | 양지 | 양친

㉠ 볕 **양(陽):**

㉡ 둘 **양(兩):**

3

다음 어휘가 들어간 간단한 문장을 써 보세요.

소음:

음치:

양서류:

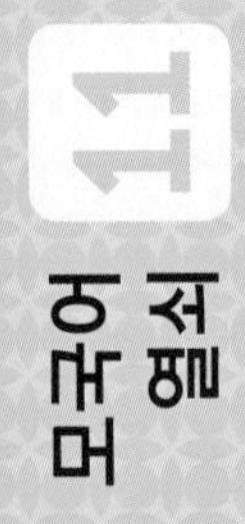

정답 p.239

색깔에 쓰이는 접두사

접두사와 **접미사**는 낱말의 앞과 뒤에 붙어서 수많은 어휘를 새로이 만들어 냅니다. 우리말 접미사와 접두사는 홀로 쓰이지 않고 다른 낱말에 붙어서만 사용됩니다. 우선 여기에서는 색깔과 함께 쓰이는 **접두사**를 살펴보겠습니다.

고유어 접두사

새-/샛- : 매우 짙고 선명한

새빨간/**새**빨갛다, **새**하얀/**새**하얗다, **새**파란/**새**파랗다, **샛**노란/**샛**노랗다

새빨간 ▷ 들판에 **새**빨간 장미가 예쁘게 피어 있었다.
▷ 그 사람이 했던 말은 **새**빨간 거짓말로 드러났다.

새하얀 ▷ 어린 아이가 **새**하얀 이를 드러내고 웃었다.
▷ 하늘에는 **새**하얀 구름이 뭉게뭉게 피어났다.

새파란 ▷ 그 이야기를 듣고 나서 그 사람의 얼굴이 **새**파랗게 질렸다.
▷ 봄이 되면 나무에서 **새**파란 새싹이 돋아난다.

시-/싯- : 매우 짙고 선명한

시뻘건/**시**뻘겋다, **시**꺼먼/**시**꺼멓다, **시**퍼런/**시**퍼렇다, 누렇다/**싯**누렇다

시뻘건 ▷ 화재가 난 건물에서 **시**뻘건 불길이 솟았다.
▷ 밤새도록 게임만 하더니 아침에 **시**뻘건 눈으로 나타났다.

시꺼먼 ▷ 갑자기 비가 오려는지 **시**꺼먼 구름이 하늘을 뒤덮었다.
▷ 화학 공장에서 불이 나서 **시**꺼먼 연기가 사방으로 퍼져 나갔다.

시퍼런 ▷ 나는 **시**퍼런 칼날을 번뜩이며 싸움을 하는 영화를 보았다.
▷ 서슬이 **시**퍼렇게 살아 있는데 누가 감히 그에게 덤비겠어?

검- : 검은 빛을 띤

검붉은/**검**붉다, **검**푸른/**검**푸르다

검붉은 ▷ 교통사고가 일어난 도로에 **검**붉은 피가 흐르고 있었다.

검푸른 ▷ **검**푸른 해면 위에는 희멀건 아침 빛이 서려 오고 있었다.

한자어 접두사

연(軟)- : 연한 빛을 띤. 옅은. 엷은

연노랑, **연**파랑, **연**초록

연노랑 저고리, **연**파랑 바지, **연**초록 새싹

진(津)- : 색깔이 진한

진노랑, **진**초록, **진**분홍, **진**갈색

진노랑 유치원복, **진**초록 숲, **진**분홍 진달래, **진**갈색 머리카락

순(純)- : 다른 색이 섞이지 않은

순백색, **순**흑색

밤새 눈이 내려 온 세상이 **순**백색으로 물들었다.

온 몸이 **순**흑색인 개미.

선(鮮)- : 빛깔이 산뜻하고 뚜렷한

선홍색, **선**녹색

선홍색의 동백꽃이 만개하였다.

아가미가 **선**홍색을 띤 생선이 신선한 것이다.

선홍색 빛깔의 소고기.

선녹색 나뭇잎이 바람에 흔들렸다.

모국어 열쇠 활용 문제

다음 낱말에 '매우, 진한'의 의미를 가진 접두사 '새/샛-, 시/싯-, 검-'을 붙여서 써 보세요.

붉은	검붉은
빨간	
뻘건	
파란	
꺼멓다	

퍼런	시퍼런
푸른	
노란	
누런	
퍼렇다	

심화 문제

정답 p.239

1

다음 표에 대립하는 한자어로 빈칸을 완성해 봅시다.

순종		양지	
역행		음성	
순풍		양각	
음수		음전자	
순행 동화		음성 모음	

2

다음 문장에 알맞은 단어를 골라서 동그라미를 그려 봅시다.

㉠ 우리가 기대했던 것과 달리 그 공사는 심각한 **(기능 / 역기능)**이 더 많았어요.

㉡ 이것은 시대에 **(거역 / 역행)**하는 발상입니다. 절대 동의할 수 없습니다.

㉢ 나도 가끔 **(순수 / 순정)** 만화 주인공처럼 풋풋한 사랑을 해 보고 싶다.

㉣ 국가 대표 선수가 약물 검사에서 **(양성 / 음성)** 반응이 나와 출전이 정지되었다.

㉤ 생일을 **(음력 / 양력)**으로 따지는 사람들은 해마다 날짜가 달라져요.

㉥ 그는 확신에 찬 **(음향 / 음성)** 으로 질문에 대답했지만 답이 틀려서 몹시 당황했지요.

우리말 바로 쓰기 교실 ⑪

서술어 바로 쓰기

정답 p.240

다음 문장은 서술어가 적절하지 않은 표현입니다. 적절한 서술어를 사용해서 문장을 고쳐서 써 보세요.

1	나는 저녁에 동화책과 일기를 쓰느라고 늦게 잤다.	
2	나는 아빠가 술과 담배 피우는 것을 싫어한다.	
3	오늘은 날씨가 추워서 털모자와 장갑을 끼고 학교에 갔다.	
4	친구 관계에서 무엇보다 중요한 것이 친구와 신의를 지켜야 한다.	
5	한글이 세계의 다른 문자와 비교해서 매우 과학적인 문자라는 사실이 알려져 있다.	
6	나도 저렇게 되지 않기를 천만다행이다.	
7	우리는 환경과 경제를 발전시키기 위해 노력해야 한다.	
8	이 모임이 시작한 지 꼭 두 달 만에 가입자 수가 30명을 채웠다.	
9	다음은 체험을 다녀온 학생들의 경험을 바탕으로 정리했다.	
10	영화를 보려고 돈과 가방을 메고 집을 나섰다.	

학습할 내용

23. 우열(優劣): 뛰어남과 못함

대립 어휘 67. 우월감(優越感) : 열등감(劣等感)

대립 어휘 68. 우등생(優等生) : 열등생(劣等生)

대립 어휘 69. 우성(優性) : 열성(劣性)

같은 소리 다른 한자

우(雨) "비"

우산(雨傘) / 폭풍우(暴風雨) / 강우(降雨) / 호우(豪雨) / 우후죽순(雨後竹筍)

열(熱) "덥다, 뜨겁다"

열정(熱情) / 열대(熱帶) / 가열(加熱) / 과열(過熱) / 발열(發熱) / 열사병(熱射病)

24. 승패(勝敗): 이김과 짐

대립 어휘 70. 승리(勝利) : 패배(敗北)

대립 어휘 71. 역전승(逆轉勝) : 역전패(逆轉敗)

대립 어휘 72. 승전(勝戰) : 패전(敗戰)

같은 소리 다른 한자

승(昇) "오르다"

상승(上昇) / 승강기(昇降機) / 승진(昇進) / 승격(昇格) / 승천(昇天) / 승화(昇華)

패(覇) "으뜸"

패권(覇權) / 연패(連覇) / 제패(制覇) / 패기(覇氣)

12장

—

23. 우열(優劣): 뛰어남과 못함

24. 승패(勝敗): 이김과 짐

[모국어 열쇠 12] '부정'을 의미하는 접두사

우리말 바로 쓰기 교실 ⑫ 간결한 문장 쓰기

우열은 뛰어난 것과
그보다 못난 것을 나타내는
대립 개념입니다.
주로 유전자, 세력,
사람의 감정, 성적과 관련된
낱말에서 우(優)와 열(劣)이
대립합니다.

우열이 대립하는 표현

우성	열성	우등생	열등생	수적 우세	수적 열세
우세	열세	우월감	열등감	우성 유전자	열성 유전자
우등	열등	우월 의식	열등의식		

대립 어휘 67

난이도 ＊＊＊
〈통합〉

우월감(優越感) : 열등감(劣等感)

남보다 낫다고 여기는 생각이나 느낌이 **우**월감,
남보다 못하거나 낮추어 평가함이 **열**등감

주제 쓰기

열등감은 나만 느끼고 있을까?

남보다 키가 작거나, 뚱뚱하거나, 좋은 학교를 나오지 않은 것에 대해 **열등감**을 느끼는 사람들이 있습니다. 이와 반대로 어떤 사람은 남보다 조금 크다고, 조금 더 공부를 잘한다고 **우월감**을 가집니다. 지나친 열등감은 우울증이나 삶의 의욕을 저하시키는 요인이 됩니다. 마찬가지로 지나친 우월감도 정서적 불안이 심화되어 분노와 폭력으로 발전하기도 합니다. 특히 우월감에 빠진 사람이 객관적으로 그렇지 않음이 드러나거나 더 나은 사람을 만나게 되면 그 증상이 심하게 나타납니다.

키와 외모에 대해서 열등감을 느껴야 할까요? 노력을 해도 바꾸지 못하는 사실에 대한 열등감을 극복하는 지혜가 필요합니다. 타고난 외모, 지역, 인종은 본래 우월감과 열등감의 대상이 아닙니다. 요즘 사람들은 키와 얼굴 생김새 등에 관심이 많습니다. 그렇지만 이와 같은 외모가 열등감과 우월감의 요인이 될 수 없습니다. 사람들은 스스로 어떤 사실에 대해 열등감에 사로잡혀 있습니다. 노력으로 바꾸지 못하는 것을 사실 그대로 인정하면 열등감에서 쉽게 벗어날 수 있습니다. 개그맨들처럼 "나 시골 놈이다.", "나 키가 작아.", "나 뚱뚱하다."라고 당당하게 말하면서 열등감에서 벗어날 수 있습니다. 사람은 누구나 한 가지 이상 열등감을 느끼고 있습니다. 열등감에 빠져서 사는 사람과 자신감을 가지고 살아가는 사람의 차이는 바로 생각에서 비롯됩니다. 다른 사람도 누구나 한두 가지 열등감을 지니고 있다고 생각하고 부족한 것을 과감하게 드러내고 당당하게 살아가야 합니다. 여러분은 어떤 점에 열등감을 느끼고 있나요? 그것을 큰 소리로 한번 외치면서 열등감에서 벗어나 보세요.

핵심 낱말

대립 어휘 표현

근거 없는 우월감 : 불필요한 열등감 | 우월감에 젖어 : 열등감에 빠져

주제 쓰기

핵심 낱말

대립 어휘 68

난이도 ✻✻
〈통합〉

우등생(優等生) : 열등생(劣等生)

성적이 좋은 학생이 **우**등생,
성적이 좋지 않은 학생이 **열**등생

학교에서 열등생이 인생의 실패자일까?

초등학교, 중학교, 고등학교에는 학업 우등생과 열등생이 있습니다. 학업 성적이 우수하면 **우등생**이고, 좋지 않으면 **열등생**입니다. 학교는 배움터라서 학업 성적도 중요한 곳입니다. 공부를 잘하는 학생이 칭찬 받아도 됩니다. 그렇지만 학교에서 열등생이 인생에서도 열등생이 되는 것은 아닙니다. 초등학교에서 우등상장을 한 번도 받지 못한 학생이 고등학교에 가서 우등생이 되는 경우도 흔히 있습니다.

물론 초등학교와 중학교를 거치면서 학업이 남보다 뒤질 수 있습니다. 그런 학생은 일반적으로 학업에 흥미를 느끼지 못하지만, 다른 영역의 능력을 지니고 있습니다. 초등학교, 중학교와 달리 고등학교는 학업을 지속하기 위한 인문계와 직업 능력을 키우는 실업계로 나뉩니다. 학업에서 능력을 발휘하지 못하는 열등생이 굳이 인문계 고등학교에 갈 필요가 없습니다. 자신이 흥미를 느끼는 분야로 실업계 학교를 선택해서 우등생이 되는 방법도 있습니다. 사회 생활과 삶에서는 각 분야의 우등생이 성공합니다. 성공은 초등학교와 중학교 성적에 좌우되지 않습니다. 어느 분야에서든 우등생이 될 수 있는 진로 선택이 중요합니다. 여러분은 어느 분야에서 우등생이 되고 싶은가요?

대립 어휘 표현

사회 적응 우등생 : 사회 적응 열등생

대립 어휘 69

난이도 ✻✻
〈과학〉

우성(優性) : 열성(劣性)

다른 쪽을 이기고 자신을 드러내는 쪽이 **우**성이고,
자신의 특성을 드러내지 못하는 쪽이 **열**성

주제 쓰기

핵심 낱말

우성이 열성보다 우수한 것일까?

사람은 누구나 고유한 자기만의 유전자를 지니고 있습니다. 유전자는 부모로부터 물려받게 됩니다. 여러분은 아빠와 엄마의 유전자를 반씩 나누어서 가지고 있습니다. 부모에게서 받은 유전 형질 또는 유전 인자가 사람의 특성을 결정합니다. 대립하는 두 개의 형질 중에서 겉으로 드러나면 우성 형질 또는 우성 유전자이고, 드러나지 않으면 열성 형질 또는 열성 유전자입니다. 이 용어를 줄인 말이 우성과 열성입니다. 쌍꺼풀이 우성이고 외꺼풀이 열성입니다. 부모에게서 쌍꺼풀 유전자를 하나라도 받은 자녀는 쌍꺼풀이 되고, 외꺼풀 유전자만 받으면 외꺼풀이 됩니다. 곱슬머리와 검은 머리가 우성이고 직모와 금발이 열성입니다.

우성과 **열성**은 우등생과 열등생처럼 우수함에 따른 분류가 아닙니다. 우성이 우수한 유전자이고 열성이 열등한 유전자가 아닙니다. 만약 우성이 우수한 것이라면 세상에서 가장 우수한 사람은 검은 피부, 곱슬머리, 쌍꺼풀, 대머리이면서 주근깨가 많은 A형 또는 B형 혈액형을 가져야 합니다. 여러분은 위와 같은 우성 유전자만을 가진 사람이 가장 뛰어난 사람이라 생각하나요? 우성과 열성은 겉으로 드러나느냐 아니냐의 차이에 불과합니다. 여러분은 어떤 우성 유전자와 열성 유전자를 지니고 있을까요?

대립 어휘 표현

우성 유전자 : 열성 유전자 | 우성 인자 : 열성 인자

같은 소리 다른 한자

다음 한자를 익히고 예문의 빈칸을 채워 봅시다.

정답 p.240

우(雨) : 비

폭풍우 (暴風雨) – 세찬 바람이 불면서 쏟아지는 비.
우산 (雨傘) – 비를 가리기 위한 도구.
호우 (豪雨) – 많은 비가 옴. (예. 호우 경보)
강우 (降雨) – 비가 내림.
우후죽순 (雨後竹筍) – 비가 내린 후에 돋아나는 대나무 순.

① ________ 속에서 노련한 선장이 목적지를 향해 항해를 지휘했다.

② ________ 주의보와 ________ 경보는 비가 많이 내릴 것으로 예상될 때 발령한다.

③ ________ 은 '대나무의 어린 싹'에서 생긴 말이다.

④ 누구나 아침에 비가 오다가 오후에 그치는 날 ________ 을 잃어버린 기억이 있다.

⑤ 오늘 하루에 1년 평균 ________ 량에 버금가는 비가 내렸다.

열(熱) : 덥다, 뜨겁다

열정 (熱情) – 뜨거운 애정을 가지고 일에 열중하는 마음.
열대 (熱帶) – 적도 근처의 더운 지방.
가열 (加熱) – 뜨거워지도록 열을 더함.
과열 (過熱) – 지나치게 뜨거워짐.
열사병 (熱射病) – 몸의 열을 발산하지 못하여 생기는 병.
발열 (發熱) – 열을 내거나 체온이 높아짐.

⑥ ________ 지방에서는 연평균 기온이 20℃ 이상이거나 가장 추운 달의 평균 기온이 18℃ 이상이다.

⑦ 자신이 좋아하는 일에 ________ 을 쏟는 사람이 성공한다.

⑧ 물을 ________ 하면 수증기가 발생한다.

⑨ 덥고 습도가 높은 날 오랫동안 외부에서 활동하면 ________ 에 걸리기 쉽다.

⑩ 메르스의 초기 증세는 체온보다 높은 ________ 이다.

⑪ 그 화재는 전기 제품 ________ 이 원인이었다.

기본 문제

정답 p.240

1

소리가 같은 한자 '우'(優, 雨)에서 만들어진 어휘들입니다. 뜻이 같은 한자에서 만들어진 어휘들끼리 묶어서 써 보세요.

우성 | 우산 | 우세 | 폭풍우 | 강우 | 우수 | 호우 | 우등생 | 우후죽순 | 우월감

㉠ 뛰어나다 **우(優):**

㉡ 비 **우(雨):**

2

소리가 같은 한자 '열'(劣, 熱)에서 만들어진 어휘들입니다. 뜻이 같은 한자에서 만들어진 어휘들끼리 묶어서 써 보세요.

열성 | 열정 | 열등감 | 열대 | 열등생 | 가열 | 과열 | 열세 | 발열 | 열사병 | 열악

㉠ 못하다 **열(劣):**

㉡ 덥다, 뜨겁다 **열(熱):**

3

다음 어휘가 들어간 간단한 문장을 써 보세요.

우등생:

폭풍우:

열정:

승패는 이기는 것과 지는 것을 나타내는 대립 개념입니다. 주로 경기, 전쟁, 선거와 관련된 낱말에서 **승(勝)**과 **패(敗)**가 대립합니다.

승패가 대립하는 표현

승자	**패**자
연**승**	연**패**
승리감	**패**배감
필**승**	필**패**
완**승**	완**패**
승전	**패**전
승리자	**패**배자
백전백**승**	백전백**패**
승전국	**패**전국
역전**승**	역전**패**

대립 어휘 70

난이도 ✻✻
〈통합〉

승리(勝利) : 패배(敗北)

겨루어서 이기는 것이 **승**리, 지는 것이 **패**배

주제 쓰기

핵심 낱말

아름다운 패배가 있을까?

전쟁, 선거, 경기 등에는 항상 승자와 패자가 있습니다. 승패를 겨루는 일에는 항상 승리와 패배가 있습니다. 겨루어서 이기면 **승리**이고 지면 **패배**입니다. 승자와 패자가 없는 경기가 무승부입니다. 일반적으로 스포츠 경기에서 승리와 패배는 얼마나 열심히 훈련하고 준비했느냐에 의해서 결정됩니다. 더 많이 훈련하고 열심히 준비한 쪽이 승리할 확률이 높습니다. 그렇지만 최선을 다해서 훈련하고 열심히 준비했다고 반드시 승리가 보장되지는 않습니다. 스포츠 경기에는 실력 이외에 예상하지 못한 일이 벌어지기도 합니다. 평소에 잘하던 선수가 실수를 저질러서 지기도 하고, 운이 좋아서 이기기도 합니다. 그럼에도 불구하고 승리하기 위해서는 훈련과 연습이 필요합니다. 훈련하지 않으면 결코 나아질 수 없습니다.

승부에서 수단과 방법을 가리지 않고 정당하지 못한 방법으로 승리만을 추구하는 사람들이 있습니다. 그들은 반칙도 하고 상대방에 대한 음해도 서슴지 않습니다. 반대로 최선을 다하면서 깨끗한 승부를 벌였지만 경기에서 패배하면 '아름다운 패배'라고 합니다. 경기에서는 반칙을 하지 않고 정당한 방법으로 승리해야 합니다. 그리고 승리하기 위해서 최선을 다하는 행동은 칭찬받아야 합니다. 여러분은 정당하지 못한 방법으로 승리하는 것보다 아름다운 패배가 더 가치가 있다고 생각하나요?

대립 어휘 표현

선거 승리 : 선거 패배 | 승리의 쾌감 : 패배의 쓰라림

주제 쓰기

핵심 낱말

대립 어휘 71 역전승(逆轉勝) : 역전패(逆轉敗)

난이도 ✻✻
〈통합〉

지고 있다가 나중에 이기면 역전**승**,
이기고 있다가 지는 것이 역전**패**

역전승에 환호하는 이유는 무엇일까?

뒤지고 있다가 세를 뒤집어서 승리하면 **역전승**이고, 앞서고 있다가 뒤집혀서 패하면 **역전패**입니다. 역전승과 역전패에 쓰인 '전'은 전쟁을 의미하지 않고 '뒤집는다'는 의미입니다. 사람들은 운동 경기에서 일방적 승리보다 역전승에 더 환호를 보냅니다. 지고 있던 팀이 끝까지 최선을 다해서 뒤집는 경기에 더 흥미를 느낍니다. 역전승을 한 선수들은 그 다음 경기에서도 자신감을 가지게 됩니다. 그래서 지고 있어도 다시 뒤집을 수 있다는 신념으로 경기에 임하게 됩니다.

사람들이 역전승에 환호를 보내는 것은 자신의 삶에서도 그러한 일이 일어나기를 바라기 때문입니다. 스포츠 경기에서 역전승과 역전패는 우리에게 많은 교훈을 줍니다. 이기고 있다고 방심을 하게 되면 역전패를 당하게 됩니다. 반대로 지고 있어도 끝까지 포기하지 않고 최선을 다하면 역전승을 거둘 수 있습니다. 어떤 분야에서든 여러분이 지금은 뒤지고 있어도 끝까지 최선을 다하면 언젠가는 역전의 기회가 찾아올 것입니다. 비록 역전을 하지 못해도 최선을 다하는 삶이 아름다운 것입니다. 여러분은 어떤 경기에서 역전승을 하고 싶은가요?

대립 어휘 표현

9회말 역전승 : 9회말 역전패 | 막판 역전승 : 막판 역전패 | 역전승의 기세 : 역전패의 후유증

대립 어휘 72

승전(勝戰) : 패전(敗戰)

난이도 ✻✻✻
〈통합〉

전쟁이나 경기에서 이기는 것이 **승**전,
지는 것이 **패**전

주제 쓰기

싸우지 않고 승리하면 최선이다.

전쟁에서 승리하면 **승전**, 패배하면 **패전**입니다. 본래 승전과 패전은 전쟁에서 승리와 패배를 의미했지만 최근에는 스포츠 경기, 기업 간의 경쟁, 온갖 종류의 선거에서도 이 어휘들이 사용됩니다. 스포츠, 경쟁, 선거는 전쟁이 아니지만 사람들이 전쟁처럼 치열하게 싸웁니다. 전쟁은 상대가 죽거나 굴복해야 끝나지만 스포츠와 선거는 경쟁의 결과일 뿐입니다. 그 결과로 사람이 죽지도 않고, 패한 쪽이 승리한 쪽에 굴복하는 것이 아닙니다.

〈손자병법〉은 싸움에서 이기는 다양한 방법을 소개한 책입니다. 역사적으로 전쟁에 참여하는 장수는 이 책에서 싸움에서 이기는 방법을 터득해 왔습니다. 장교를 양성하는 사관 학교에서는 이 책이 필독 도서입니다. 이 책에서 자신과 적을 알면 전쟁에서 백 번 싸워도 위태롭지 않다고 했습니다. 이 말에서 유래되어 백 번 싸워 모두 이긴다는 백전백승과 모두 진다는 백전백패가 생겨났습니다. 전쟁, 경쟁, 선거, 스포츠 경기에서 이기기 위해서는 나와 적을 잘 알고 있어야 합니다. 나만 알고 적을 모르거나, 적만 알고 나를 모르면 싸움에서 이길 수 없습니다. 손자병법에서 싸우지 않고 승리하는 것이 최선의 승리라고 했습니다. 여러분은 싸우지 않고 승리한 경험이 있는지요? 어떻게 하면 전쟁에서 싸우지 않고도 승리할까요?

핵심 낱말

대립 어휘 표현

승전 소식 : 패전 소식 | 승전의 기쁨 : 패전의 굴욕

같은 소리 다른 한자

다음 한자를 익히고 예문의 빈칸을 채워 봅시다.

정답 p.240

승(昇) : 오르다

상승 (上昇) – 낮은 데서 위로 올라감.
승강기 (昇降機) – 사람이나 화물을 아래위로 나르는 장치.
승진 (昇進) – 직장에서 직위 또는 군대에서 계급이 오름.
승격 (昇格) – 지위나 등급이 다른 차원으로 오름.
승천 (昇天) – 하늘로 올라감.
승화 (昇華) – 고체에서 액체를 거치지 않고 곧바로 기체가 되는 현상.

① 그는 남들보다 탁월한 능력을 인정받아 부장에서 상무로 ________ 했다.

② 고체에서 기체로 ________ 한 물질이 나프탈렌과 드라이아이스다.

③ 그녀는 결혼을 자기의 신분 ________ 을 위한 수단으로 삼았다.

④ 인천, 부산, 광주, 울산, 대구, 대전이 '광역시(廣域市)'로 ________ 되었다.

⑤ 사람들이 용이 하늘로 ________ 하는 것을 보았다고 하는데, 나는 믿을 수가 없다.

⑥ ________ 가 없다면 높은 건물을 지을 수 있을까?

패(霸) : 으뜸

패권 (霸權) – 으뜸의 자리를 차지하여 누리는 권력.
연패 (連霸) – 싸움이나 경기에서 연이어 우승함.
제패 (制霸) – 경기에서 우승함.
패기 (霸氣) – 굳세고 늠름한 기상이나 정신.

⑦ 젊음과 열정으로 무장한 그는 언제나 활력과 ________ 가 넘친다.

⑧ 칭기즈칸은 유라시아 대륙을 ________ 하고 몽골 제국을 건설하였다.

⑨ 월드컵에서 2________ 를 달성한 나라는 어디일까?

⑩ 세계 역사에서 영구적으로 ________ 을 장악한 국가는 없었다.

기본 문제

정답 p.240

1

소리가 같은 한자 '승'(勝, 昇)에서 만들어진 어휘들입니다. 뜻이 같은 한자에서 만들어진 어휘들끼리 묶어서 써 보세요.

승리 | 상승 | 승자 | 승강기 | 역전승 | 승진 | 대승 | 승격 | 승전국 | 승천 | 완승 | 승화

㉠ 이기다 **승(勝):**

㉡ 오르다 **승(昇):**

2

소리가 같은 한자 '패'(敗, 覇)에서 만들어진 어휘들입니다. 뜻이 같은 한자에서 만들어진 어휘들끼리 묶어서 써 보세요.

패배 | 패권 | 역전패 | 대패 | 제패 | 패색 | 패기 | 패전국

㉠ 지다 **패(敗):**

㉡ 으뜸, 으뜸가다 **패(覇):**

3

다음 어휘가 들어간 간단한 문장을 써 보세요.

역전승:

상승:

제패:

정답 p.240

'부정'을 의미하는 접두사

'가능'과 '정상'의 부정어는 무엇일까요? 불가능과 비정상입니다. 우리말에는 부정의 의미를 지니는 접두사 **불/부**(不), **비**(非), **미**(未), **무**(無), **반**(反) 등이 있습니다. '불/부(不)-'와 '비(非)-'가 자주 사용됩니다. 위와 같은 접두사는 대부분 한자어에 사용됩니다. 고유어의 부정은 '안, 못' 등이 쓰입니다.

불/부(不)- 'ㅇ아님'

불투명 – 욕실 창문은 **불투명**해서 밖에서 안이 보이지 않는다.
불만족 – 종업원이 불친절해서 서비스가 **불만족**스러웠다는 고객의 항의가 들어왔다.
불편 – 이 의자는 딱딱해서 **불편**하다.
부족 – 10개를 주문했는데 9개밖에 도착하지 않았어요. 한 개 **부족**합니다.
불합격 – 시험에서 60점 이하를 받으면 **불합격**입니다.
불명예 – 우리나라는 10년 넘게 OECD 국가 중 자살률 1위라는 **불명예**스러운 기록을 갖고 있다.
불공평 – 왜 누나에게 과자를 1개 더 줘요? **불공평**해요.
부정확 – **부정확**한 정보가 명확한 사실인 양 떠돌고 있습니다.

'불-'과 '부-'의 쓰임

접두사 '불/부'는 'ㄷ' 또는 'ㅈ'으로 시작하는 낱말에 붙으면 '불-'을 쓰지 않고 '부-'를 사용합니다. '도덕, 적응'에 부정 접두사가 붙으면 '*불도덕, *불적응'이 아니라 '부도덕, 부적응'이 됩니다.

비(非)- '아님'

비무장 – **비무장** 지대에는 군대가 주둔할 수 없다.
비민주적 – 다같이 하는 일인데 상의 없이 혼자 네 마음대로 결정하다니 **비민주적**이다.
비인간적 – 옛날 노예들은 극도로 **비인간적** 취급을 당했다.
비현실적 – 판타지 소설 속 배경은 **비현실적**이다.
비공개 – 이번 행사는 **비공개**로 진행되기 때문에 관계자 외 출입 금지입니다.

미(未)- '아직 아니함'

미공개 – 이 서류는 다음 주 화요일에 발표할 **미공개** 자료입니다.
미확인 – 기자는 **미확인** 정보를 기사로 쓰지 않아야 한다.
미개발 – 그 산은 벌목은 했지만 **미개발** 구역에 속합니다.
미취학 – 이 대회에는 **미취학** 아동은 참여할 수 없습니다.
미등록 – 그 외국인의 이름은 아직 **미등록** 상태입니다.

무(無) '없음'

무방비 – 그들은 **무방비** 상태에서 적의 공격을 받았다.
무소득 – 그 집에는 **무소득** 노인들만 거주하고 있다.
무자비 – 미국 경찰이 흑인 소녀를 **무자비**하게 때리는 동영상이 공개되었다.
무소유 – 소유와 **무소유**는 마음의 문제이다.

반(反) '반대'

반작용 – 공중에서 공을 떨어뜨리면 **반작용**에 의해서 튀어 오른다.
반비례 – 물건값과 판매량은 **반비례**한다.
반민주적 – 한 사람의 명령에 모든 사람이 복종하는 사회는 **반민주적**이다.
반사회적 – 그는 자기 이익만을 추구하는 **반사회적** 특성을 지닌 사람이다.
반인륜적 – 부모를 살해한 **반인륜적** 범죄는 중죄로 다스려야 한다.

접두사를 붙이지 않는 부정

접두사 '불-/부-, 비-'에 대립하는 어휘가 항상 존재하는 것은 아닙니다. 다른 어휘가 대립하는 낱말도 있습니다.

불참	참석
불쾌	유쾌
부당한	정당한
불행	행복
비상시	평상시

불리	유리
불복	복종
부동표	고정표
비수기	성수기
비범한	평범한

모국어 열쇠 활용 문제

다음 어휘에 부정을 의미하는 접두사를 붙여서 새로운 낱말을 만들어 보세요.

도덕	
완전	
주의	
무장	
자비	
취학	

균형	
적응	
친절	
비례	
등록	
확인	

심화 문제

정답 p.240

1

다음 표에 대립하는 한자어로 빈칸을 완성해 봅시다.

우성	
열세	
우월감	
열성 유전자	
수적 우세	

승자	
완승	
대패	
필승	
승전국	

2

다음 문장에 알맞은 단어를 골라서 동그라미를 그려 봅시다.

㉠ 지원군이 제때에 도착하지 않아서 그 중대는 차츰 **(열등 / 열세)**에 놓이게 되었지요.

㉡ 그 중대는 식량도 무기도 부족한 **(열악 / 열등)**한 조건에서 싸우고 있었지요.

㉢ 내일 오후부터 중부 지방에 집중 **(강우 / 호우)**가 내릴 예상입니다.

㉣ 그 중대는 고전하고 있었지만 다른 중대는 연일 **(승전 / 연승)**보를 전했어요.

㉤ 대표팀이 후반전 막판까지 **(패배 / 패색)**가/이 짙었던 경기에서 역전승을 했어요.

㉥ 현재 세계의 **(패색 / 패권)**을 쥔 나라는 미국일까, 중국일까?

우리말 바로 쓰기 교실 ⑫

간결한 문장 쓰기

정답 p.240

문장은 가능하면 간결하게 써야 합니다. 같은 낱말이 반복되거나, 쓸데없는 표현이 들어가면 좋은 문장이 아닙니다. 다음 문장에서 쓸데없이 덧붙인 말을 줄여 간결한 문장으로 고쳐 써 보세요.

1	이 글에서 추구하고 있는 주요 연구 내용을 정리하면 다음과 같다.	
2	표1에 나타난 바와 같이 2016학년도 학생 수에 대한 예측을 했다.	
3	강당의 지붕 모양이 거북이 등처럼 둥근 모양이다.	
4	이 빵은 직사각형의 형태를 가지고 있다.	
5	학교에서 학예 활동을 위해 지원을 모색할 계획이다.	
6	문방구에서 판매하는 상품은 아이들을 대상으로 하고 있다.	
7	교실 창문은 사각형 모양을 가지고 있다.	
8	여름 방학 숙제에는 매일 일기 쓰기 숙제가 포함되어 있다.	
9	학교 급식 지원은 교육청과 시도에서 지원한다.	
10	우리 학교 합창 동아리 모임은 수요일마다 연습하는 동아리이다.	

창의적
글쓰기 과제

② 지구 온난화

지구는 태양 광선을 받아서 뜨거워진 열기가 지구를 둘러싸고 있는 기체, 온실가스에 흡수되어 적절한 온도를 유지합니다. 이 온실가스는 이산화탄소, 메탄 등으로 구성됩니다. 그런데 이 온실가스가 증가해서 지구가 점점 따뜻해지는 현상이 지구 온난화입니다. 지구 온난화는 인간이 석탄, 석유, 가스 등을 다량 사용하고, 환경 오염이 심해지면서 이산화탄소 등이 과도하게 배출되어 생깁니다. 자동차, 전기 등 에너지 소비, 쓰레기, 벌목이 모두 지구 온난화의 원인입니다.

지난 100년 동안 지구의 평균 온도는 섭씨 0.74도 올라갔습니다. 작은 변화가 아닙니다. 이 변화로 극지방의 빙하가 녹아서 바다의 수면이 높아졌습니다. 이미 태평양에 있는 작은 섬은 바닷물에 잠기기 시작했습니다. 지구 온도가 섭씨 1도 올라가면 지구 생명체의 30%가 사라질 수도 있습니다. 우리가 당장 대처하지 않으면 지구 온난화가 인류에게 재앙이 될 수 있습니다. 우리 모두 지구 온난화에 대해서 관심을 가져야 합니다.

[문제 1] **지구 온난화가 지구와 환경에 어떤 영향을 미치고 있는지 인터넷에서 자료를 찾아 써 보세요.**

참조 어휘: 이산화탄소 | 바다 수면 | 빙하 | 북극곰 | 환경 | 쓰레기 | 에너지 | 태평양 | 기후 변화 | 생태계

내가 쓴 **창의적 글쓰기** 과제를 **온라인 사이트**에 올려서 공유하기

① 모공열 온라인 사이트(www.mogong10.com)에서 로그인합니다.
② '모공열 콘텐츠'에서 '모공열 글솜씨 자랑' 게시판으로 이동합니다.
③ 게시판 하단의 [글쓰기] 버튼을 클릭하여 글쓰기 창을 엽니다.
④ 학습 분류, 장, 주제를 선택한 후 글을 작성합니다.
⑤ [확인] 버튼을 눌러 자신의 글을 게시판에 올립니다.

[문제 2] **지구 온난화의 원인을 살펴보고 여러분이 지구 온난화를 막기 위해 실천할 일을 써 보세요.**

참조 어휘: 자전거 | 자동차 | 쓰레기 | 에너지 | 환경 | 분리 수거 | 재활용 | 물

2단계
정답

1장 – 주종 주객

***같은 소리 다른 한자: 주(走), 종(種)** (p. 18)

① 도주 ② 분주 ③ 주자 ④ 주행 ⑤ 질주 ⑥ 종류
⑦ 종목 ⑧ 종족 ⑨ 품종 ⑩ 토종 ⑪ 멸종

***기본 문제** (p. 19)

문제 1.
㉠ 주도, 주인, 주범, 주관, 자주 ㉡ 주행, 질주, 주자, 분주
문제 2.
㉠ 추종, 종사, 종속, 종업원, 종속국, 종사자
㉡ 종류, 종목, 종족, 품종, 토종, 멸종

***같은 소리 다른 한자: 주(周), 주(晝)** (p. 24)

① 주선 ② 주변 ③ 주파수 ④ 원주율 ⑤ 주경야독
⑥ 주간 ⑦ 주야

***기본 문제** (p. 25)

문제 1.
㉠ 주관, 주체, 주어, 주인, 주권식, 주객전도
㉡ 주변, 주선, 원주율, 주파수 ㉢ 주간, 주야, 주경야독

***모국어 열쇠 활용 문제** (p. 27)

공통점(예시 답안)
- 이동하는 교통 수단이다.
- 각각 전용 도로에서 달린다.
- 바퀴를 이용한 교통 수단이다.
- 둘 다 브레이크가 있다.

차이점(예시 답안)
- 자전거는 사람의 힘으로, 자동차는 엔진의 힘으로 간다.
- 자전거는 환경을 오염시키지 않지만,
  자동차는 환경 오염을 일으킨다.
- 자동차에 비해서 자전거의 가격이 싸다.
- 자전거보다 자동차에 더 많은 짐을 실을 수 있다.
- 자전거는 좁은 도로에서 다닐 수 있다.
- 자동차에 더 많은 사람이 탈 수 있다.

***심화 문제** (p. 28)

문제 1.

종	주인
사업주	종업원
종속국	종주국
추종	주도
주도자	추종자

주체	객체
객관식	주관식
주어	객어
주체적	객체적
관객	주역

문제 2.

㉠ 주관 ㉡ 주관 ㉢ 종목 ㉣ 주간 ㉤ 주체 ㉥ 종속

***우리말 바로 쓰기 교실 1** (p. 29)

1. 설거지 2. 강낭콩 3. 김치찌개/된장찌개 4. 신출내기
5. 총각무 6. 아지랑이 7. 사글세 8. 돌 9. 수캐 10. 깡충깡충
11. 막둥이 12. 오뚝이 13. 냄비 14. 멋쟁이 15. 윗니
16. 꼭두각시 17. 천장 18. 애달프다 19. 주책없다 20. 며칠

2장 - 자타 공사

***같은 소리 다른 한자: 자(字), 타(打)** (p. 36)

① 표의 문자 ② 흑자 ③ 적자 ④ 표음 문자 ⑤ 문자 ⑥ 점자
⑦ 타격 ⑧ 타도 ⑨ 치명타 ⑩ 오타 ⑪ 대타 ⑫ 타령

***기본 문제** (p. 37)

문제 1.
㉠ 자의, 자국, 자동사, 자기, 자율적
㉡ 문자, 점자, 흑자, 적자, 표의 문자, 표음 문자
문제 2.
㉠ 타의, 타국, 타동사, 타인, 타율적
㉡ 타격, 타도, 타령, 대타, 오타, 치명타

***같은 소리 다른 한자: 공(空), 사(史)** (p. 42)

① 공기 ② 공짜 ③ 공상 ④ 공간 ⑤ 항공 ⑥ 진공
⑦ 사학 ⑧ 국사 ⑨ 선사 시대 ⑩ 역사

***기본 문제** (p. 43)

문제 1.
㉠ 공적, 공교육, 공유 재산, 공기업, 공립
㉡ 공짜, 공기, 진공, 항공, 공간, 공상
문제 2.
㉠ 사적, 사교육, 사유 재산, 사기업, 사립, 사설
㉡ 역사, 국사, 선사 시대, 사학

***심화 문제** (p. 46)

문제 1.

타의	자의
자율	타율
사유	공유
자국	타국
공교육	사교육

공적	사적
타인	자신
공립	사립
사무	공무
공유지	사유지

문제 2.

㉠ 자율 ㉡ 자국 ㉢ 공적 ㉣ 공유 ㉤ 공짜 ㉥ 선사

***우리말 바로 쓰기 교실 2** (p. 47)

1. 깨끗이 2. 가만히 3. 솔직히 4. 정확히 5. 과감히
6. 작히 7. 버젓이 8. 소홀히 9. 족히 10. 느긋이
[정답 해설] 3. '솔직히'는 끝음절이 [이]로도 [히]로도 소리 나기 때문에 '솔직히'로 적고 '솔직이'로 적지 않는다.

3장 - 동이 단복

***같은 소리 다른 한자: 동(動), 이(移)** (p. 54)

① 동맥 ② 동영상 ③ 활동 ④ 율동 ⑤ 동력 ⑥ 동작
⑦ 이사 ⑧ 이직 ⑨ 이동 ⑩ 이민 ⑪ 이식

***기본 문제** (p. 55)

문제 1.
㉠ 동의, 동질감, 동음, 동포, 동성
㉡ 동력, 동작, 율동, 활동, 동맥, 동영상
문제 2.
㉠ 이의, 이질감, 이성, 이방인
㉡ 이사, 이동, 이민, 이주, 이식

***같은 소리 다른 한자: 단(團), 복(服)** (p. 60)

① 단합 ② 단속 ③ 집단 ④ 단체 ⑤ 단지 ⑥ 방탄복
⑦ 우주복 ⑧ 잠수복 ⑨ 한복 ⑩ 복장 ⑪ 양복

***기본 문제** (p. 61)

문제 1.

㉠ 단수, 단순, 단식, 단층, 단문, 단일

㉡ 단체, 집단, 단속, 단지, 단합

문제 2.

㉠ 복수, 복합, 복층, 복문, 복잡

㉡ 한복, 양복, 복장, 방탄복, 잠수복, 우주복

***심화 문제** (p. 64)

문제 1.

동성	이성	단식	복식
이질감	동질감	복층 건물	단층 건물
동의	이의	단모음	복모음
상이한	동일한	복잡	단순
동성 친구	이성 친구	단선 철도	복선 철도

문제 2.

㉠ 복잡 ㉡ 복장 ㉢ 이질감 ㉣ 동의 ㉤ 활동 ㉥ 단체

***우리말 바로 쓰기 교실 3** (p. 65)

1. 날이 갈수록 2. 또 문자 할게. 3. 밥을 먹었습니까?
4. 내가 먼저 사과할걸. 5. 어떻게 될지 모르겠어.
6. 집에 갈까? 7. 홈런을 맞을지라도 8. 이를 어찌할꼬?
9. 몇 등일지가 궁금하지? 10. 지나가는 나그네올시다.

[정답 해설] 2.'[ㄹ]' 소리 뒤에서는 된소리로 발음되더라도 예사소리로 적는다. 6. 의문을 나타내는 어미들은 된소리로 적는다.

4장 – 한양 빈부

***같은 소리 다른 한자: 한(限), 양(養)** (p. 72)

① 기한 ② 한계 ③ 한정 ④ 제한 ⑤ 권한 ⑥ 한시적
⑦ 양육 ⑧ 배양 ⑨ 영양 ⑩ 양성 ⑪ 공양 ⑫ 교양

***기본 문제** (p. 73)

문제 1.

㉠ 한복, 한약, 한의원, 한식, 한옥, 한국

㉡ 한정, 한계, 한시적, 기한, 국한, 제한

문제 2.

㉠ 양복, 양약, 양의사, 양식, 양옥, 서양인

㉡ 공양, 배양, 영양, 교양, 양성, 양육

***같은 소리 다른 한자: 빈(頻), 부(部)** (p. 78)

① 빈출 ② 빈번 ③ 빈도 ④ 부문 ⑤ 부서 ⑥ 부분

***기본 문제** (p. 79)

문제 1.

㉠ 빈약, 빈농, 빈곤층 ㉡ 빈도, 빈번, 빈출

문제 2.

㉠ 부강, 부유층, 부익부 ㉡ 부분, 부문, 부서

***모국어 열쇠 활용 문제** (p. 81)

공을 가지고 하는 구기 운동	축구, 아이스하키, 골프, 핸드볼, 럭비, 농구, 테니스
도구를 사용하는 운동	아이스하키, 골프, 탁구, 테니스, 펜싱, 양궁, 크로스컨트리, 바둑
실내에서 하는 운동	태권도, 아이스하키, 핸드볼, 농구, 탁구, 수영, 펜싱, 유도, 바둑
시간 제한이 없는 경기	마라톤, 골프(?), 탁구, 테니스, 수영
먼저 도착하는 선수가 승리하는 경기	마라톤, 수영, 크로스컨트리

***심화 문제** (p. 82)

문제 1.

한식	양식	빈곤층	부유층
한복	양복	부강한	빈약한
양옥	한옥	빈익빈	부익부
한의학	양의학	부농	빈농
양의사	한의사	빈자	부자

문제 2.

㉠ 빈곤 ㉡ 양성 ㉢ 한복 ㉣ 한계 ㉤ 빈번 ㉥ 부문

***우리말 바로 쓰기 교실 4** (p. 83)

1. 나룻배 2. 해님 3. 초점 4. 머리말 5. 숫자 6. 제삿날 7. 최댓값 8. 전셋집 9. 예삿일 10. 머릿기름

[정답 해설] 2. '사잇소리'의 첫째 조건은 합성어여야 한다. '해님'은 '해'를 인격화하여 높이거나 다정하게 이르는 말로, 접미사 '-님'이 붙은 파생어이다.

5장 – 초말 개폐

***같은 소리 다른 한자: 초(草), 말(抹)** (p. 90)

① 약초 ③ 감초 ③ 초목 ④ 초가 ⑤ 초원 ⑥ 초식 동물 ⑦ 말살 ⑧ 말소 ⑨ 일말

***기본 문제** (p. 91)

문제 1.
㉠ 초기, 초년, 초하루, 초복, 연초
㉡ 초목, 초원, 초식 동물, 초가, 약초, 감초
문제 2.
㉠ 말기, 말년, 연말, 말일, 말복
㉡ 말소, 말살, 일말

***같은 소리 다른 한자: 개(個), 폐(弊)** (p. 96)

① 개별 ② 개체 ③ 개인 ④ 개성 ⑤ 개월 ⑥ 황폐 ⑦ 민폐 ⑧ 폐해 ⑨ 폐단

***기본 문제** (p. 97)

문제 1.
㉠ 개장, 개막식, 개방 ㉡ 개인, 개체, 개별
문제 2.
㉠ 폐막식, 폐쇄, 폐장 ㉡ 폐해, 민폐, 황폐

***모국어 열쇠 활용 문제** (p. 99)

네티즌	누리꾼	신입생	새내기
서클	동아리	오뎅	어묵
자음	닿소리	스크린도어	안전문
모음	홀소리	리플	댓글

***심화 문제** (p. 100)

문제 1.

초기	말기	폐장	개장
말엽	초엽	개교	폐교
월말	월초	개회 선언	폐회 선언
학기 초	학기 말	폐업	개업
초복	말복	개방 정책	폐쇄 정책

문제 2.
㉠ 폐쇄 ㉡ 개막 ㉢ 연초 ㉣ 말엽 ㉤ 개인 ㉥ 말소

***우리말 바로 쓰기 교실 5** (p. 101)

1. 윗도리 2. 위층 3. 웃어른 4. 위치마 5. 윗머리 6. 웃통 7. 윗입술 8. 웃돈 9. 윗넓이 10. 위쪽

[정답 해설] 3, 6, 8 '어른, 통, 돈'은 '아래, 위' 대립이 없는 단어이므로 '웃어른, 웃통, 웃돈'이 표준어이다.
4. 10. 된소리나 거센소리 앞에서는 사이시옷을 쓰지 않기 때문에 '위치마, 위쪽'으로 써야 한다.

6장 – 진퇴 근원

***같은 소리 다른 한자: 진(盡), 퇴(堆)** (p. 108)

① 탕진 ② 극진 ③ 탈진 ④ 매진 ⑤ 무궁무진 ⑥ 퇴적 ⑦ 퇴비

***기본 문제** (p. 109)

문제 1.
㉠ 진화, 진군, 승진, 진보 ㉡ 탈진, 탕진, 극진
문제 2.
㉠ 후퇴, 퇴화, 퇴진, 퇴보 ㉡ 퇴비, 퇴적

***같은 소리 다른 한자: 근(勤), 원(院)** (p. 114)

① 근로자 ② 근무 ③ 개근상 ④ 근면 ⑤ 법원 ⑥ 원장 ⑦ 학원 ⑧ 사원 ⑨ 병원

***기본 문제** (p. 115)

문제 1.
㉠ 근시, 근교, 근거리, 근해, 근대인
㉡ 개근상, 근면, 근로자, 근무

문제 2.

㉠ 원교, 원거리, 원시, 원양

㉡ 학원, 병원, 법원, 사원, 원장

***모국어 열쇠 활용 문제** (p. 117)

① 어흥 ② 쨍그랑 ③ 부르릉

④ 짹짹, 삐약삐약, 꼬끼오, 꽥꽥 ⑤ 킁킁 ⑥ 후루룩

***심화 문제** (p. 118)

문제 1.

전진	후퇴	근시	원시
진보	퇴보	근거리	원거리
퇴화	진화	원양	근해
진로	퇴로	친근	소원
일보 전진	일보 후퇴	원경	근경

문제 2.

㉠ 진보 ㉡ 퇴로 ㉢ 탈진 ㉣ 근시 ㉤ 친근 ㉥ 근면

***우리말 바로 쓰기 교실 6** (p. 119)

1. 웬 2. 왠지 3. 웬일 4. 웬 5. 좋던가 6. 가든 오든
7. 되라고 8. 됐어 9. 돼야 10. 되지

[정답 해설] 2. '무슨 까닭인지'의 뜻이므로 '왠지'로 써야 한다. 10. '되지'가 '되어지'로 하면 이상하기 때문에 '돼지'가 아닌 '되지'가 맞다.

7장 – 가감 합분

***같은 소리 다른 한자: 가(家), 감(感)** (p. 128)

① 가족 ② 가장 ③ 가정 ④ 가훈 ⑤ 국가 ⑥ 감정
⑦ 감지 ⑧ 감상 ⑨ 독감 ⑩ 감염 ⑪ 공감

***기본 문제** (p. 129)

문제 1.

㉠ 증가, 가속, 가중, 가산, 추가, 부가

㉡ 가족, 가정, 가장, 국가

문제 2.

㉠ 감소, 감점, 감속, 감축, 감면, 경감

㉡ 감정, 감지, 감상, 독감, 감염, 공감

***같은 소리 다른 한자: 분(憤), 분(粉)** (p. 134)

① 공분 ② 분노 ③ 울분 ④ 분쇄 ⑤ 분말 ⑥ 분필
⑦ 분식 ⑧ 분유

***기본 문제** (p. 135)

문제 1.

㉠ 분해, 분석, 분열 ㉡ 분노, 공분 ㉢ 분쇄, 분식, 분말

***자음과 모음의 표기** (p. 137)

ㄱ	기역	ㅂ	비읍	ㅋ	키읔	ㄸ	쌍디귿
ㄴ	니은	ㅅ	시옷	ㅌ	티읕	ㅃ	쌍비읍
ㄷ	디귿	ㅇ	이응	ㅍ	피읖	ㅆ	쌍시옷
ㄹ	리을	ㅈ	지읒	ㅎ	히읗	ㅉ	쌍지읒
ㅁ	미음	ㅊ	치읓	ㄲ	쌍기역		

***모국어 열쇠 활용 문제** (p. 137)

	기본 자음	가획 자음	거센 소리 (격음)	된소리 (경음)
어금닛소리	ㄱ		ㅋ	ㄲ
혓소리	ㄴ	ㄷ	ㅌ	ㄸ
입술소리	ㅁ	ㅂ	ㅍ	ㅃ
잇소리	ㅅ	ㅈ	ㅊ	ㅉ
목구멍소리	ㅇ		ㅎ	

***심화 문제** (p. 138)

문제 1.

증가	감소	배합	배분
감속	가속	분해	합성
예산 추가	예산 삭감	융합	분열
감압 장치	가압 장치	분리	혼합
핵융합	핵분열	통합적 사고	분석적 사고

문제 2.

㉠ 분석 ㉡ 통합 ㉢ 감속 ㉣ 분쇄 ㉤ 삭감 ㉥ 합성

***우리말 바로 쓰기 교실 7** (p. 139)

1. 나도 할 수 있다.
2. 그 책을 다 읽는 데 이틀이나 걸렸다.
3. 먹을 만큼 먹어라
4. 그 일은 할 만하다./그 일은 할만하다.
5. 그 운동화 얼마짜리냐?
6. 그는 '예' 하고 말했다.
7. 합격자는 결정되는 대로 발표하겠습니다.
8. 한국 대 호주 축구 경기가 있다.
9. 충무공 이순신 장군은 영웅이다.
10. 수업에 들어가기는커녕 운동장으로 나갔다.

8장 – 온냉 등락

***같은 소리 다른 한자: 온(穩), 고유어 온-** (p. 146)

① 온당 ② 불온 ③ 온전 ④ 온건 ⑤ 평온 ⑥ 온건파
⑦ 온통 ⑧ 온종일 ⑨ 온몸 ⑩ 온달 ⑪ 온누리

***기본 문제** (p. 147)

문제 1.
㉠ 온도, 온풍, 온대 ㉡ 온전, 평온, 온당, 불온, 온건
㉢ 온몸, 온통, 온종일

***같은 소리 다른 한자: 등(等), 락/낙/악(樂)** (p. 152)

① 등한시 ② 균등 ③ 월등 ④ 강등 ⑤ 열등감 ⑥ 낙원
⑦ 낙관 ⑧ 쾌락 ⑨ 안락사 ⑩ 고락

***기본 문제** (p. 153)

문제 1.
㉠ 폭등, 반등, 급등 ㉡ 균등, 열등, 월등, 강등
문제 2.
㉠ 폭락, 급락, 반락 ㉡ 낙관, 낙원, 쾌락, 안락사

***모국어 열쇠 활용 문제** (p. 155)

① 내가 그린 그림 어떠니? 정말로 잘 그렸지?
② 저 아이들은 여기에 무엇을 하려고 왔니?
③ 감기 때문에 어젯밤에 한 잠도 이루지 못 했어.
감기 때문에 어젯밤에 한 잠도 못 잤어.

***심화 문제** (p. 156)

문제 1.

온수	냉수	급등	급락
온풍	냉풍	속등	속락
냉혈	온혈	반락	반등
온화한	냉소적 /냉정한	냉철한	온후한
냉대 기후	온대 기후	주가 폭등	주가 폭락

문제 2.
㉠ 온대 ㉡ 냉기 ㉢ 온정 ㉣ 폭등 ㉤ 낙원 ㉥ 월등

***우리말 바로 쓰기 교실 8** (p. 157)

1. 반드시 | 반듯이 2. 받치고 | 바쳐 3. 이따가 | 있다가
4. 절였다 | 저려서 5. 부쳤다 | 붙였다 6. 버렸다 | 벌였다
7. 머금고 | 먹음직스러운 8. 조린다 | 졸였다
9. 사람으로서 | 대화로써 10. 다쳤다 | 닫혔다

[정답 해설] 1. '반듯이'는 비뚤어지거나 굽지 않고 똑바를 때 쓰는 말이다. 2. '어떤 물건의 밑에 다른 물체를 올리거나 대다'라는 뜻일 때 '받치다'를 쓴다. 3. '조금 지난 뒤에'의 뜻일 때는 부사 '이따가'를 쓴다. 4. '저리다'는 '피가 잘 통하지 못하여 감각이 둔하고 아리다'는 뜻으로 '도둑이 제 발 저리다.'와 같이 쓸 수 있다. 5. '부치다'는 편지 등을 상대에게 보내는 뜻이고, '붙이다'는 두 사물을 떨어지지 않게 함. 6. 불필요한 물건을 제거함을 뜻하는 '버리다'이고 잔치, 판을 열 때는 '벌이다'이다. 7. 삼키지 않고 입 안에 있거나 눈물을 '머금다', '먹음직스러운'은 보기에 먹을 만한 음식이다. 8. '졸이다'는 '몹시 조마조마하여 애를 쓰다' 뜻으로 주로 사용하고 생선 요리에는 '조리다'를 쓴다. 9. '지위, 신분, 자격'을 나타낼 때는 '-(으)로서'를 쓰고, '수단, 도구'를 나타낼 때는 '-(으)로써'를 쓴다. 10. 문이나 뚜껑이 "닫혔다'라고 쓰고, 사고로 상처가 나면 '다쳤다'를 사용한다.

9장 – 선악 진가

***같은 소리 다른 한자: 선(先), 악(樂)** (p. 164)

① 선진 ② 선생 ③ 선배 ④ 선발대 ⑤ 우선 ⑥ 악수
⑦ 악력 ⑧ 장악 ⑨ 파악

***기본 문제** (p. 165)

문제 1.
㉠ 선인, 선행, 개선 ㉡ 선진, 우선, 선생, 선발대
문제 2.
㉠ 악순환, 악행, 악의 ㉡ 악력, 악수, 장악

***같은 소리 다른 한자: 진(珍), 가(價)** (p. 170)

① 진풍경 ② 산해진미 ③ 진귀 ④ 진주 ⑤ 가치 ⑥ 가격
⑦ 평가 ⑧ 가치관 ⑨ 물가 ⑩ 대가

***기본 문제** (p. 171)

문제 1.
㉠ 진품, 진심, 진실, 진성 ㉡ 진귀, 진주, 진풍경
문제 2.
㉠ 가짜, 가성, 가식, 가상 ㉡ 물가, 가치, 가격, 평가

***모국어 열쇠 활용 문제** (p. 173)

날리다	휘날리다	박다	처박다
밟다	짓밟다	밀다	치밀다
먹다	처먹다	감다	휘감다
누르다	짓누르다	덮치다	들이덮치다
끓다	들끓다	높이다	드높이다
볶다	들볶다	섞다	뒤섞다
솟다	치솟다	쑤시다	들쑤시다

***심화 문제** (p. 174)

문제 1.

선행	악행	진짜	가짜
선순환	악순환	가품	진품
최악	최선	진성	가성
성악설	성선설	가분수	진분수
악전	선전	가식	진심

문제 2.
㉠ 진심 ㉡ 진주 ㉢ 가치 ㉣ 선의 ㉤ 선진 ㉥ 악역

***우리말 바로 쓰기 교실 9** (p. 175)

1. 산에서 새가 지저귄다.
2. 눈이 아파서 눈에서 눈물이 났다.
3. 바이러스 때문에 병에 걸린다.
4. 이 물건을 저것과 비교할 수 없다.
5. 그가 나에게 더 좋은 선물을 주었다.
6. 이 집으로 이사 오고 나서 피아노를 시작했다.
7. 사랑에 빠진 여자가 아름다운 이유
8. 한강이 흐르는 방향을 알아보자.
9. 나는 노래를 부르고 싶어 노래방에 갔다.
10. 그녀가 지하철에서 내리자 나도 따라서 내렸다.

10장 – 두미 문답

***같은 소리 다른 한자: 두(豆), 미(味)** (p. 182)

① 누유 ② 두부 ③ 연두색 ④ 무미 ⑤ 별미 ⑥ 조미료
⑦ 구미 ⑧ 음미

***기본 문제** (p. 183)

문제 1.
㉠ 접두사, 서두, 선두, 어두, 용두 ㉡ 두부, 연두색
문제 2.
㉠ 말미, 선미, 어미 ㉡ 구미, 음미, 무미, 육미

***같은 소리 다른 한자: 문(文), 답(踏)** (p. 188)

① 논문 ② 문서 ③ 주문 ④ 문장 ⑤ 문명 ⑥ 문화
⑦ 문학 ⑧ 답보 ⑨ 답습 ⑩ 답사

***기본 문제** (p. 189)

문제 1.
㉠ 문제, 질문, 문의 ㉡ 주문, 논문, 문서
문제 2.
㉠ 답변, 대답, 해답 ㉡ 답습, 답사, 답보

***모국어 열쇠 활용 문제** (p. 191)

① 세, 여든 ② 열 ③ 석 ④ 열, 한 ⑤ 서

***심화 문제** (p. 192)

문제 1.

두괄식	미괄식	질문	대답
접두사	접미사	문의	답변
방문	답방	해답지	문제지
서두	말미	문제	해답
후미 그룹	선두 그룹	질의	응답

문제 2.

㉠ 서두 ㉡ 답변 ㉢ 구미 ㉣ 논문 ㉤ 답습 ㉥ 사미

***우리말 바로 쓰기 교실 10** (p. 193)

1. 나는 오늘 공부를 열심히 했다고 엄마한테 칭찬을 받았다. 내가 공부를 열심히 했다고 엄마가 칭찬을 해 주었다.
2. 우리가 배워야 할 점은 자식으로서의 도리를 지키는 일입니다.
3. 그 날은 우리 동아리의 마지막 공연이 있었다.
4. 어떤 학교에서는 수요일에 운동 연습을 한다.
5. 제주도는 서울보다 기온이 낮다.
6. 우리는 선물을 받아서 기뻤다. 어제는 우리가 선물을 받은 기쁜 날이었다.
7. 오늘 비가 내리고 바람이 불겠으니 주의하시기 바랍니다.
8. 내일은 개교 기념일이라서 우리는 학교에 가지 않는다.
9. 나는 살아 있다는 것이 얼마나 감사한 일인지 깨달았다.
10. 내 말은 네가 아직 젊으니 새로 도전해 보기 바란다는 것이다.

11장 – 순역 음양

***같은 소리 다른 한자: 순(純), 역/력(力)** (p. 200)

① 불순 ② 순수 ③ 단순 ④ 순정 ⑤ 온순 ⑥ 부력
⑦ 저항력 ⑧ 중력 ⑨ 역량 ⑩ 역부족

***기본 문제** (p. 201)

문제 1.

㉠ 순행, 순풍, 순종, 순리 ㉡ 순수, 단순, 불순, 순정

문제 2.

㉠ 역행, 역기능, 거역, 역리 ㉡ 중력, 부력, 저항력, 역량

***같은 소리 다른 한자: 음(音), 양(兩)** (p. 206)

① 음향 ② 음성 ③ 음치 ④ 방음 ⑤ 소음 ⑥ 양면
⑦ 양친 ⑧ 양서류 ⑨ 양측 ⑩ 양국

***기본 문제** (p. 207)

문제 1.

㉠ 음력, 음수, 음극, 음지 ㉡ 음치, 음향, 소음, 방음

문제 2.

㉠ 양력, 양극, 양수, 양성, 양지

㉡ 양측, 양국, 양서류, 양면, 양친

***모국어 열쇠 활용 문제** (p. 209)

붉은	검붉은	퍼런	시퍼런
빨간	새빨간	푸른	검푸른
뻘건	시뻘건	노란	샛노란
파란	새파란	누런	싯누런
꺼멓다	시꺼멓다	퍼렇다	시퍼렇다

***심화 문제** (p. 210)

문제 1.

순종	거역	양지	음지
역행	순행	음성	양성
순풍	역풍	양각	음각
음수	양수	음전자	양전자
순행 동화	역행 동화	음성 모음	양성 모음

문제 2.

㉠ 역기능 ㉡ 역행 ㉢순정 ㉣ 양성 ㉤ 음력 ㉥ 음성

***우리말 바로 쓰기 교실 10** (p. 211)

1. 나는 저녁에 동화책을 읽고 일기를 쓰느라고 늦게 잤다.
2. 나는 아빠가 술을 마시고 담배 피우는 것을 싫어한다.
3. 오늘은 날씨가 추워서 털모자를 쓰고 장갑을 끼고 학교에 갔다.
4. 친구 관계에서 무엇보다 중요한 것이 친구와 신의를 지켜야 한다는 점이다.
5. 세계의 다른 문자와 비교해서 한글이 과학적인 문자로 알려져 있다.
6. 나도 저렇게 되지 않은 것을 천만다행으로 생각한다.
7. 우리는 환경을 보존하고 경제를 발전시키기 위해 노력해야 한다.
8. 이 모임을 시작한 지 꼭 두 달 만에 가입자 수 30명이 채워졌다.
9. 다음은 체험을 다녀온 학생들의 경험을 바탕으로 정리한 것이다.
10. 영화를 보려고 돈을 챙겨서 가방을 메고 집을 나섰다.

12장 – 우열 승패

***같은 소리 다른 한자: 우(雨), 열(熱)** (p. 218)

① 폭풍우 ② 호우 ③ 우후죽순 ④ 우산 ⑤ 강우 ⑥ 열대
⑦ 열정 ⑧ 가열 ⑨ 열사병 ⑩ 발열 ⑪ 과열

***기본 문제** (p. 219)

문제 1.
㉠ 우성, 우세, 우수, 우등생, 우월감
㉡ 우산, 폭풍우, 강우, 호우, 우후죽순
문제 2.
㉠ 열등감, 열등생, 열세, 열악
㉡ 열성, 열정, 열대, 가열, 과열, 발열, 열사병

***같은 소리 다른 한자: 승(昇), 패(覇)** (p. 224)

① 승진 ② 승화 ③ 상승 ④ 승격 ⑤ 승천 ⑥ 승강기
⑦ 패기 ⑧ 제패 ⑨ 연패 ⑩ 패권

***기본 문제** (p. 225)

문제 1.
㉠ 승리, 승자, 역전승, 대승, 승전국, 완승
㉡ 상승, 승강기, 승진, 승격, 승천, 승화
문제 2.
㉠ 패배, 역전패, 대패, 패색, 패전국
㉡ 패권, 제패, 패기

***모국어 열쇠 활용 문제** (p. 227)

도덕	부도덕	균형	불균형
완전	불완전	적응	부적응
주의	부주의	친절	불친절
무장	비무장	비례	반비례
자비	무자비	등록	미등록
취학	미취학	확인	미확인

***심화 문제** (p. 228)

문제 1.

우성	열성	승자	패자
열세	우세	완승	완패
우월감	열등감	대패	대승
열성 유전자	우성 유전자	필승	필패
수적 우세	수적 열세	승전국	패전국

문제 2.
㉠ 열세 ㉡ 열악 ㉢ 호우 ㉣ 승전 ㉤ 패색 ㉥ 패권

***우리말 바로 쓰기 교실 12** (p. 229)

1. 이 글의 주요 내용은 정리하면 다음과 같다.
   이 글의 주요 내용은 다음과 같이 정리된다.
2. 표1과 같이 2016년도 학생 수 예측을 했다.
3. 강당의 지붕은 거북이 등처럼 둥글다.
4. 이 빵은 직사각형처럼 생겼다.
5. 학교에서 학예 활동을 지원할 계획이다.
6. 문방구에서 아이들 상품을 판매한다.
7. 교실 창문은 사각형이다.
8. 매일 일기 쓰기가 여름 방학 숙제이다.
9. 학교 급식은 교육청과 시도에서 지원한다.
10. 우리 학교 합창 동아리는 수요일마다 모여서 연습을 한다.